D1264084

Déjà parus aux Éditions Dangles

Acupuncture : le défi par l'aiguille, Dr Jacques Amoyel.
Adieu ma cellulite ! Colette Marsicano & Dr Philippe Balard.
Adoptez la respiration positive !, Dr Jean-Loup Dervaux.
Aquafeeling, Alain Lambert et Marie-Noëlle Varieras.
Alertes grippales, Dr Marc Girard.
Alzheimer, Mathilde Regnault.
Anorexie et Boulimie, Vittoria Pazalle.
Antibiotiques, Jean-Marc Darguère.
Atlas des centres énergétiques, Kalashatra Govunda.
Au sein... du cancer, Ester Lynne.
Cholestérol. Prévention de l'athérosclérose et des maladies cardio-vasculaires, Jean-Luc Darrigol.
Comprendre et combattre la douleur, Dr Michèle Benigno.
Cosmétiques : le pire et le meilleur, Chantal Clergeaud.
Encyclopédie des thérapies naturelles, Dr Guy Avril.
Fleur de lait, Anna Rousseaux de Léo.
Grippe aviaire, Jean-Pierre Juguet.
Guérir de l'alcoolisme, Jean-Baptiste Vignon.
Guide de l'esthétique, Dr François Perrogon.
Guide thérapeutique des couleurs, Dr Christian Agrapart & Michèle Agrapart-Delmas.
Guide pratique d'homéopathie pour tous, Dr Daniel Berthier & Dr Jean-Jacques Jouanny.
Homéopathie du nourrisson et de l'enfant, Dr Baudouin Caironi.
800 secrets de santé au naturel, Thierry Robert.
Infarctus et maladies cardio-vasculaires chez la femme, Dr Jean-Loup Dervaux.
Initiation au magnétisme curatif, Michel Nicole.
Initiation au yoga, Thierry Loussouarn.
Introduction à l'iridologie, André Roux.
Jeune et belle après 40 ans, Louis Faurobert.
Kinésiologies, Françoise LLorca.
L'Argile pour votre santé, André Passebecq.
La Biorésonance, Reinhold D. Will.
La Fatigue, Roland Reymondier.
La Glande thyroïde en questions, Dr Jean-Loup Dervaux.
L'aloe vera pour votre santé, Martina Krcmar.
La Maladie d'Alzheimer, Mireille Peyronnet & Dr Jean-Loux Dervaux.
La Médecine Ayur-Védique, Gérard Edde.
La Pause massage, Joël Savatofski, illustrations de Denis Desailly.
La Phyto-aromathérapie pratique, Marcel Bernadet.
La Santé de vos yeux, André Passebecq & Jeanine Passebecq.
La Santé jour après jour, Dr Moshé Engel.
La Spasmophilie, Dr Jean-Loup Dervaux.
Le Drainage-Vitalité, Dominique Jacquemay.
Le jogging, Gilbert Burdin.
Le Livre du dos, Guy Roulier.
Le Massage douceur, Joël Savatofski.
Le Massage minute, Joël Savatofski, illustrations de Denis Desailly.
Les Aimants pour votre santé, Dr Louis Bonnet.
Les Allergies, Dr Jean-Loup Dervaux.
Les Anti-oxydants, Dr Line Martin.
Les Bains d'air et de soleil, Jean-Luc Senninger.
Les Cristaux, Ulricke Tôlken.
Les Couleurs pour votre santé, Gérard Edde.
Les Nutriments anti-âge, Dr A. Bechaalany.
Les Soins naturels de l'enfant, Laurence Buiret-Grégoire.
Les Thérapies marines, Dominique Hoareau.
Lexique des compléments alimentaires, Jean-Marc Darguère.
L'Homéopathie pratique, Dr Claude Binet.
L'Ostéopathie : deux mains pour vous guérir, Guy Roulier.
Manuel pratique de digitopuncture, Gérard Edde.
Massage réflexe des pieds, Jean-Pierre Krasensky.
Mieux vivre son diabète, Jean-Luc Darrigol.
Migraines et céphalées, Dr Jean-Loup Dervaux.
Mincir naturellement, André Passebecq.
Nutrithérapie marine, Dr Dominique Hoareau.
Oligo-éléments et oligothérapie, Dr Claude Binet.
Précis d'acupuncture chinoise, Académie de médecine traditionnelle chinoise.
Précis de médecine chinoise, Éric Marié.
Rhumatismes et arthrites, André Passebecq.
Rhumes, Otites, Bronchites, c'est terminé !, Dr Jean-Loup Dervaux.
Santé et beauté de vos cheveux, Jean-Luc Darrigol.
Santé et cosmo-tellurisme, Boune Legrais & Gilbert Altenbach.
Stretch Massage, Joël Savatofski.
Thérapeutique homéopathique, tome I de abcès à hystérie, Claude Binet.
Thérapeutique homéopathique, tome II de ichtose à zona, Claude Binet.
Traditions indiennes, Patrick Mandala.
Traitements naturels de la constipation, Jean-Luc Darrigol.
Traitements naturels des affections circulatoires, André Passebecq.
Traitements naturels des affections respiratoires, André Passebecq.
Traitements naturels des reins, vessie, prostate, André Passebecq.
Traitements naturels des troubles digestifs, André Passebecq.
Vaccinations, Michel Georget.
Vaincre la fatigue, Roland Reymondier.
Vitamine et vitaminothérapie, Dr Claude Binet.
Vous avez une dent contre moi?, Dr Franck Amoyel.
Votre potager biologique, Vincent Gerbe.
Votre santé par la diététique et l'alimentation saine, André Passebecq - 23e édition.

Régénération par le jeûne

OUVRAGES DU MÊME AUTEUR

Régénération par le jeûne. Préface du Dr J.-M. Kalmar (Dangles).
Le Manuel de la vie sauvage, ou revivre par la nature (Dangles).
Les Plantes fumables. Préface du Dr J.-M. Kalmar (Maloine).
Les Mains vertes : recueil d'aphorismes et petit livre de cuisine biologique et végétarienne. Préface de René Dumont (Courrier du Livre).
Se nourrir, se guérir aux plantes sauvages. En collaboration avec Bianca Saury. Préface d'Albert Delaval (Tchou).
Se nourrir au bord des chemins. Préface du Dr J.-M. Kalmar; postface de Guy Tarade (Vie et Action, Vence).
Le Miel et la Cire. Poèmes avec 10 lettres et 10 dessins inédits de Jean Cocteau. Préface de Jean Marais (Michel de l'Ormeraie).
50 Végétaux sauvages nutritifs. Préface de J.-C. de Tymowski (Équilibre).
L'Audition (F.F.A. – 52, rue de Ponthieu – Paris VIIIe).
Je me soigne avec les Plantes (Robert Morel).
Poésie, chansons et aphorismes (Barré-Dayez).
Le Livre des aphrodisiaques de l'amour et des ébats amoureux (Équilibres).
Des fleurs pour vous guérir (Dangles; épuisé).
Manuel diététique des fruits et légumes (Dangles; épuisé).
Huiles végétales d'alimentation (Dangles; épuisé).
Les Algues, source de vie (Dangles; épuisé).
Un enfant à naître de nous (Dangles; épuisé).
Douze fruits et légumes fondamentaux. En collaboration avec le Dr Yves Donadieu (Maloine; épuisé).
Se nourrir de rien ou les végétaux sauvages nutritifs. En collaboration avec Françoise Hindié. Préface du Dr Jean Valnet (Maloine; épuisé).
Les Combats élémentaires, recueil de nouvelles (chez l'auteur; épuisé).
Les Plantes mellifères : l'abeille et ses produits. Préface du Pr Rémy Chauvin; postface du Dr Y. Donadieu (Lechevalier; épuisé).
Les Sorties de l'auberge (G.E.P.; épuisé).
Ici, maintenant, toujours (G.E.P.; épuisé).
Les Fruits (Les Rives; épuisé).
Pingouins (Les Rives; épuisé).

Disques :

Béatrice Arnac chante Alain Saury (Vogue).
Ecce Homo ou *La Passion de Jésus,* avec P. Fresnay, S. Reggiani, L. Terzieff, M. Simon, J. Mercure, D. Gence, M. Auclair, R. Hossein, J. Marchat, etc. (Blaler Diamant - B.A.S.F. 21 500 12 2).

Cassettes :

Béatrice Arnac chante Alain Saury – Le Tao Té King de Lao-Tseu, avec B. Arnac, M. Auclair, J. Laurent – *Le Sermon sur la montagne* de saint Matthieu – *L'Ecclésiaste – Écrits et dits de J. de la Croix, saint Jean, saint Paul, etc. – Le Chat.*

Films :

La Journée de Pernette (Sipro prod.) – *Au pied de l'arbre – Ecce Homo – Michel Simon, une vie – Le Bel Indifférent* (O.R.T.F.).

Alain Saury

Régénération par le jeûne

Préface du docteur Jacques M. Kalmar

Le jeûne : thérapeutique préventive et curative absolue.
Bienfaits, durées (jeûnes courts, moyens, longs),
préparation, pratique, reprise alimentaire,
diététique, spiritualité et créativité...

53e mille

ISBN : 978-2-7033-0193-6
Première édition : © Éditions Dangles, 1978.

Une marque du groupe éditorial PIKTOS
Z.I. de Bogues, rue Gutenberg - 31750 Escalquens
Bureau parisien : 6, rue Régis - 75006 Paris

à Karin,
qui retrouva la foi
et que le jeûne a magnifiée.

à Claude Caren.

Alain SAURY (1932-1991).

Né en 1932 à Enghien, Alain Saury, d'origine catalane et brésilienne, est obligé dès l'âge de 16 ans de subvenir seul à ses besoins. Il voulait être berger, son père voulait qu'il soit médecin ; cette opposition des apparences en fit tout d'abord un ouvrier, puis l'exercice d'une cinquantaine de métiers lui permit d'orienter sa vie vers sa vraie vocation, la poésie qu'il devait transmettre à travers différentes disciplines artistiques (comédie, mise en scène, dits, écrits, chants).

Une longue suite d'accidents maladifs, auxquels il fut livré par méconnaissance et ambition, accentués par des thérapeutiques allopathiques meurtrières, lui font subir une huitaine d'agonies dont il se relève peu à peu par le végétarisme et le jeûne. Cette longue subtilisation d'un pôle à l'autre l'amène à fréquenter d'autres milieux et à converser de sa conversion, à faire des conférences, écrire des ouvrages et à être consulté. Il subit indéniablement l'influence d'Hanish, Tomatis, Jésus, Jean de la Croix, Leclerc, Goethe, Steine, François d'Assise et s'oriente vers le végétal.

En 1972, il devient rédacteur en chef de la revue *Guitare et musique, chansons et poésies* qu'il rénove durant trois années jusqu'à la disparition de son fondateur. Il est ensuite nommé vice-président de l'Association végétarienne de France et continue une série de conférences qui le mène jusqu'au Canada. Il crée la « psycho-diététique » qui considère que toute vibration est nutritive et surtout la plus subtile, celle qui vient du don de soi, de la révélation de l'unique que chacun porte en soi. Arthérapie, ergothérapie, spiritualité, musicothérapie deviennent son propos par l'ascèse, le jeûne, la réflexion et la prière.

En 1977, il organise le congrès « Santé et Nature » à Nice en collaboration avec Nature et Progrès, et propose alors une centaine de conférences avec les meilleurs tenants de l'écologie et de la spiritualité. A cette occasion, il devient président-fondateur de l'association Les Mains Vertes dont l'objet est : *« de retrouver les lois de la vie, les suivre, les enseigner de telle sorte que chacun puisse guérir, protéger et sauver dans l'harmonie lui-même et tout ce qui l'entoure, en libérant son énergie en créations personnelles altruistes, dans l'oubli de soi* (retrouvons la vertu d'humilité, destituons-nous comme roi de la nature...) ».

En 1977, il reçoit le prix synthèse « Artisanat sans frontière » à Nice, pour une œuvre sculptée. En 1979, il est nommé académicien de l'Académie Tibérine de Rome, comme poète, sculpteur, peintre, journaliste, écrivain pour l'ensemble de son œuvre altruiste.

« Celui qui se privera de tout ne le sera de rien, Et celui qui ne se privera de rien le sera de tout. »

A. S.

« Quand je parlerais les langues des hommes et celles des anges, si je n'ai pas l'Amour, je ne suis qu'un airain qui résonne ou une cymbale qui retentit. Quand j'aurais le don de prophétie et quand je connaîtrais tous les mystères et toute la science, quand j'aurais toute la foi à transporter les montagnes, si je n'ai pas l'Amour, je ne suis rien... »

Saint Paul

« L'eau ne lave pas seulement les membres, elle purifie le cœur car elle touche l'âme. La terre ne soutient pas seulement le corps, mais elle réjouit l'esprit, car le toucher est plus qu'un contact matériel, c'est une présence vivante. Lorsque l'homme ne se rend pas compte de sa parenté avec le monde, il vit dans une prison dont les murs lui sont hostiles. Lorsqu'il trouve en toutes choses l'esprit éternel, il est émancipé, car il découvre alors la pleine signification du monde où il est né ; il se trouve dans la vérité parfaite et son harmonie avec l'univers est assurée... L'homme peut détruire et piller, gagner et amasser, inventer et découvrir, mais il n'est grand que parce que son âme embrasse tout... Dans son essence, l'homme n'est un esclave ni de lui-même, ni du monde ; il est un amant. Sa liberté et son accomplissement sont dans l'amour, qui est un autre nom de la parfaite compréhension... »

Rabindranâth Tagore (*Sadhanâ*, Albin Michel)

La paix de l'âme

La paix réelle de l'Ame et de l'esprit est en nous quand nous progressons spirituellement. On ne peut l'obtenir par la seule accumulation de richesses, si grandes qu'elles puissent être. Les temps changent cependant, et nombreux sont les signes qui montrent que cette civilisation est en train de passer d'un âge de pur matérialisme au désir d'approcher les réalités et vérités de l'univers. L'intérêt général et grandissant qui se manifeste aujourd'hui pour la connaissance des vérités supra-physiques, le nombre croissant de ceux qui cherchent à savoir ce qu'est l'existence avant et après cette vie, la création de méthodes spirituelles de guérison par la foi, la recherche des enseignements anciens et de la sagesse de l'Orient — autant de signes que les hommes de ce temps ont entrevu la réalité des choses. Ainsi donc, quand nous traitons de la guérison, nous comprenons aisément que la médecine devra, elle aussi, suivre le mouvement et remplacer ses méthodes de grossier matérialisme par celles d'une science fondée sur les réalités qui découlent de la Vérité et gouvernée par les mêmes lois divines que celles qui régissent notre propre nature. La médecine passera alors du domaine des méthodes physiques de traitement du corps physique à celui de la médecine spirituelle et mentale qui, en réalisant l'harmonie entre l'Ame et l'esprit, éliminera la cause fondamentale de la maladie, permettant ensuite l'emploi de tels moyens physiques qui peuvent être nécessaires pour compléter la guérison du corps.

Si la profession médicale ne prenait pas conscience de ces faits et ne suivait pas la croissance spirituelle du monde, il se pourrait fort bien que l'art de guérir passe entre les mains d'ordres religieux ou entre celles de ces guérisseurs nés qui existent dans chaque génération, mais qui cependant vivent plus ou moins inaperçus, empêchés de suivre leur vocation naturelle par l'attitude des orthodoxes. De sorte que le médecin de l'avenir aura deux buts essentiels. Le premier sera d'aider le patient à se connaître lui-même, de lui montrer les erreurs fondamentales qu'il peut commettre, les déficiences de son caractère auxquelles il doit remédier, les défauts qu'ils lui faut éliminer et remplacer par les qualités correspondantes. Un tel médecin devra sérieusement étudier les lois qui gouvernent l'humanité et la nature humaine elle-même, afin de pouvoir reconnaître dans tous ceux qui viendront à lui ces éléments qui sont la cause du conflit entre l'Ame et la personnalité. Il doit être capable d'indiquer au malade les meilleurs moyens d'établir l'harmonie nécessaire, les actions commises contre l'Unité auxquelles il lui faut mettre fin, les qualités qu'il convient de développer pour éliminer ses défauts. Chaque cas nécessitera une soigneuse étude et seuls, ceux qui auront consacré une grande partie de leur vie à la connaissance de l'homme et qui ont au cœur l'ardent désir de servir, pourront avec succès entreprendre pour l'humanité cette œuvre magnifique et divine d'ouvrir les yeux d'un malade et de l'éclairer sur son être, de lui insuffler l'espérance, le courage et la foi qui lui permettront de vaincre sa maladie.

Le second devoir du médecin consistera à administrer les remèdes qui aideront le corps physique à reprendre des forces et l'esprit à trouver le calme, à élargir son horizon et à tendre vers la perfection, apportant ainsi paix et harmonie à la personnalité tout entière. Il y a de tels remèdes dans la nature, placés là par la miséricorde du Divin Créateur pour la guérison et le bien-être du genre humain. Quelques-uns sont connus et des médecins sont actuellement à la recherche des autres dans différentes parties du monde, spécialement en Inde, notre Mère ; il n'est pas douteux que lorsque ces recherches auront pris plus d'extension, nous retrouverons une grande partie de la science connue il y a plus de deux mille ans, et le guérisseur de l'avenir aura à sa disposition les merveilleux remèdes naturels que la Divinité a réservés à l'homme pour le soulager de ses maux.

Ainsi, la disparition de la maladie suppose que l'humanité prenne conscience de la vérité des lois inaltérables de notre Univers et s'adapte en toute humilité à ces lois, ce qui, avec la paix de l'Ame, lui apportera la vraie joie, le vrai bonheur de vivre. Le rôle du médecin sera d'amener le malade à la connaissance de cette vérité et de lui montrer par quels moyens il pourra acquérir l'harmonie, de lui inspirer la foi en sa Divinité qui peut triompher de tout, et de lui ordonner les remèdes physiques qui contribueront à l'harmonie de la personnalité et à la guérison du corps.

Docteur Edward Bach
(Guérison par les fleurs) (1)

1. Le Courrier du Livre, Paris.

Préface

Docteur Jacques M. Kalmar

Les civilisations mourantes doivent laisser des signes, pour que quelques-unes et quelques-uns puissent retrouver les pas de celles et de ceux qui avaient la connaissance.

C'est lorsque tout vacille et que les civilisations agonisent, que les repères de la vie atteignent leur plus grande magnitude. Dans cette nuit qui enveloppe un monde terrassé par son incohérence, des étoiles s'allument sur la terre, ici et là, dessinant les constellations d'une autre réalité.

C'est dans l'embrasement du *« feu de mort »* que les appels pathétiques du *« feu de vie »* doivent être entendus. Le martellement des brutes en marche, dans leurs entreprises de dévastation, ne peut couvrir le chœur de ceux qui veillent.

Lorsque le regard de la vie chancelle, l'heure est venue de dresser les cathédrales. Ce livre d'Alain Saury est l'une d'entre elles.

Elles sont nombreuses les cathédrales qui s'élèvent partout, aujourd'hui, différentes en apparence, mais toutes construites dans l'unité du Nombre d'or de la Connaissance. Chacun de ces tailleurs de pierre choisit un visage parmi tous les visages de l'essentiel, et en devient le gardien.

C'est dans un joyeux dialogue avec les plantes sauvages et avec les fleurs « du bord des chemins » qu'Alain Saury, que mon ami Alain, je devrais écrire mon frère en recherches et en accomplissement, s'est engagé dans son œuvre de missionnaire. Ce faisant, il a rappelé à ceux qui l'ont oublié, et il a gravé dans les tablettes des temps à venir, les règles de la simplicité qui doivent être au chevet de la nourriture et des soins. Il a signifié que la femme et l'homme, vivant au rythme de la respiration des choses, trouvent autour d'eux, dans les choses nées de la terre, de l' « ange du soleil et de l'eau », tout ce qui est nécessaire pour conserver ou recouvrer la santé.

Les livres d'Alain Saury me font penser à un bouquet de fleurs, déposé au bord d'une tombe que l'on est en train de combler. Dans ce coin de cimetière, la société industrielle, la civilisation du « règne de la quantité » — pour employer un terme de René Guénon — est enterrée. Elle croit vivre encore, mais ce sont les mottes de terre qui, en tombant, ébranlent son cercueil et l'agitent. Le temps de cette société est achevé. Maintenant, ce qui compte, c'est ce qui va lui succéder.

Alain Saury, et bien des femmes et des hommes avec lui, sont debout, devant cette tombe encore béante.

Ils attendent. Quel monde va naître ? Sont-ce les forces délabrantes qui vont ressusciter ? Ou un esprit nouveau — qui ne sera que l'esprit réveillé et révélé aux regards des hommes et des femmes — surgira-t-il de tous ces bouquets, posés là sur la terre par Alain Saury et par tant d'autres ?

Il y a une certaine sainteté à vivre simplement et une sainteté certaine si l'on y ajoute une ascèse sur tous les plans de l'être. C'est pourquoi Alain Saury a développé son étude sur le jeûne dans toutes ses dimensions.

Le jeûne y apparaît, non comme une privation, mais comme une accession. Le jeûne, accompli et réussi, est un épanouissement en acte, c'est l'ouverture vers une appréhension élargie de l'authenticité de l'être.

Le jeûne s'inscrit naturellement dans l'existence de la femme, de l'homme qui suit le chemin ; le chemin qui reconduit à l'Origine et relie aux racines transcendantes de la vie.

Les foules sont avides de « biens » matériels ; ce monde pitoyable, scientiste et technologique, est rassasié de savoir, mais dans tous les regards on voit les grands espaces dévastés par la famine des âmes. Le savoir a écrasé la connaissance ; la soif de l'insignifiance a fait taire la voix de l'essentiel.

C'est au terme du jeûne bien conduit, lorsque les nourritures mentales habituelles, dogmatiques et idéologiques, ont été écartées durant ces jours de renouvellement, que remontent à la surface de la conscience des chants oubliés.

La lecture du livre d'Alain Saury nous reconduit aux antipodes des enseignements de la Médecine actuelle, mécanicienne, technicienne, qui n'a de cesse de tout mettre en formule et de combattre les maux par des substances chimiques nées au hasard des éprouvettes, dans le domaine aberrant des synthèses moléculaires enfantées par des démons ivres ; des molécules étrangères à la terre, étrangères à nos cellules, à nos métabolismes. Nous y retrouvons cette herméneutique, cette interprétation des symptômes, dont les Facultés de médecine n'apprennent plus à lire ni à comprendre le langage et la signification.

Alain Saury insiste — c'est un des thèmes majeurs de son étude — sur la réalité et l'importance des nourritures subtiles. Il rappelle cette pensée de Lao-Tseu : *« Le sage veille avec respect sur ce qu'il ne voit ni n'entend ». « Sachons,* écrit Alain Saury, *que tout est nourriture : le bon commerce avec nos semblables, la nature, les animaux, la pensée, la musique, les odeurs, la prière, la création artistique et artisanale, les vrais rapports amoureux.... »*

Pour certains, le jeûne semble être un temps mort dans l'existence, une sorte de vide, l'abandon de l'indispensable. Le jeûne, en réalité, est un silence introduit au cœur du tumulte des jours. C'est alors que l'envers des êtres et des choses se fait entendre et percevoir. Mais, où est-il écrit que les choses ne sont pas des êtres, elles aussi ? Le jeûne est une voie d'approche vers ce que l'on ne sait ni voir ni entendre.

La frugalité habituelle, affirmée et confirmée par le point d'orgue du jeûne, modèle, dans les gestes et dans les pensées de chaque instant, le visage de la pureté et de la simplicité.

La source est là qui coule paisiblement, depuis les sommets de l'âme jusque dans la main qui se tend vers l'autre, jusque dans la parole paisible et dans la pensée réjouie.

C'est au foyer des forces transfigurantes, libérées par le jeûne, que peut réapparaître la communion avec tous les composants de la vie et renaître la conscience cosmique. Ainsi peut-on s'éprouver un et solidaire avec tout ce qui existe, depuis cette minuscule fleur mauve qui est là, traçant sa petite vie entre deux pierres et deux touffes d'herbe, jusqu'à cette étoile, là-bas, qui me parle et que j'entends.

Cette préface a été écrite en écoutant l'*Ascension* d'Olivier Messiaen qui s'accorde avec le message d'Alain Saury. Le langage mystique et symbolique d'Olivier Messiaen porte en lui, par la continuité de ses périodes mélodiques, l'obstination tranquille, convaincue, de celle et de celui qui suit son chemin dans la fluidité d'un monde intérieur transparent.

INTRODUCTION

1. Deux dialogues de sourds

DIALOGUE 1

— Je ne mange pas de viande, que me proposez-vous ?
— Nous avons du très bon jambon.
— Je viens de dire que je ne mangeais pas de viande.
— Nous avons du poulet grillé.
— Je...
— Excusez-moi. Nous avons du poisson frais, des fruits de mer.
— Je ne mange pas de viande, c'est-à-dire aucune chair animale.
— Ah ! Dans ce cas, je n'ai rien à vous donner.

DIALOGUE 2

— Je viens de faire un jeûne de vingt et un jours.
— Ah, oui ! Et que mangiez-vous ?
— Je jeûnais.
— Oui, j'ai bien compris. Mais que mangiez-vous ?

2. Sectarisme et scepticisme

Les dialogues de sourds sont aussi monnaie courante en diététique et l'on peut dire que l'on n'entend rien parce qu'on n'écoute pas, noyés que nous sommes par le vacarme apparemment inaudible — mais de fait assourdissant — que font notre ego et nos viscères livrés à des fermentations putrides qui passent dans notre sang et noient notre pensée et sa disponibilité.

Mais rectifier de mauvaises habitudes alimentaires ne suffit pas ; nous avons vu deux végétariens en venir aux mains car l'un s'était guéri grâce à une cure de citron et l'autre grâce à une cure d'argile, et chacun voulait persuader l'autre de l'impossibilité de guérir par un système différent du sien.

Nous soutenons que toute alimentation qui fait preuve de sectarisme et qui laisse sceptique est mauvaise en quelques manières ; et n'oublions pas que le corps fabrique ses propres poisons : une pensée envieuse est plus néfaste que l'absorption de sucres ou de charognes.

On entend couramment cette réplique :

« Moi, je peux manger n'importe quoi, je digère tout... »

Eh bien ! non. Nul ne le peut sauf... mais écoutons plutôt cette conversation entre Ignace de Loyola (à la fin de sa vie) et son biographe :

— Mon père, puis-je vous questionner ?

— Je vous en prie.

— Vous qui vous êtes livré à tant de méditations, à tant d'exercices, à tant de jeûnes... Vous qui êtes végétarien depuis des lustres et lustres, pourquoi, mon père, remangez-vous maintenant de la viande ?

— Ce que je mange ne me concerne plus.

Ce qui est vrai pour Ignace de Loyola ne l'est pas pour le commun des mortels, à moins qu'il ne se livre pendant des années à la même ascèse : pour sublimer tout ce qui nous touche, il faut s'y être préparé.

Il y a 2 500 ans Hippocrate déclarait :

« Que l'aliment soit ta seule médecine. »

Nous sommes effectivement la transformation non pas de ce que nous absorbons mais de ce que nous assimilons et de ce que nous sommes incapables d'éliminer.

3. Carences, pléthores et médecine officielle

Or aujourd'hui la médecine, ou plutôt la chimie, devient notre seul aliment : tout est dénaturé et « chimiqué » par les procédés de cultures industrielles et de conservation ; tous les éleveurs et cultivateurs non biologistes, tous les transformateurs de produits alimentaires pourraient, à juste titre, être condamnés pour exercice illégal de la médecine.

Nous trompons donc notre appétit et, si les deux tiers du monde meurent de faim aujourd'hui à cause du tiers que nous sommes, nous autres Occidentaux, sachons que nous, nous périssons de carences et de pléthores. L'absorption de produits de synthèse nous fait rapidement perdre nos immunités naturelles et les traitements allopathiques que l'on impose aux maladies aiguës les rendent, le plus souvent, chroniques. Les malades ont oublié que la maladie est à leur service : le corps, en état de crise, se libère ainsi des déchets que nous lui avons fait accumuler par une malnutrition constante. Interrompre ce processus salutaire est folie !

Sans victimes, il ne pourrait y avoir de bourreaux et les criminels ne sont pas les modes de médecines violentes, mais les patients qui les réclament.

Le grand mérite des naturopathes est d'avoir soutenu que l'on est malade avant de le devenir : pour qu'un microbe, un virus, s'implante dans notre organisme, il faut que celui-ci soit déjà infirmé ; il y a une vingtaine d'années, avant que les pollutions de toutes sortes nous envahissent, nous naissions presque tous en bonne santé. Tout finissait par craquer un jour, parce que nous allions remplacer les lois de la Vie par nos règles, puisées dans on ne sait quelle poubelle.

4. La diététique selon Hippocrate

Il convient avant toutes choses de nous permettre de garder nos immunités naturelles, ou de nous les restituer si nous les avons perdues. Une alimentation juste, légère, vivante, saine peut y suffire. Hippocrate définissait ainsi la diététique :

« Le propre de la diététique est de se fonder sur une conception générale de la santé, et de fixer les règles du régime par rapport à cette conception, avant de les adapter aux exigences particulières de chaque état pathologique déterminé. En somme, la diététique traduit en termes généraux, l'idée foncièrement juste et sage qu'on peut se faire des conditions dans lesquelles la nature humaine peut atteindre un état de santé, de parfait équilibre où se réalise l'harmonie et s'exprime la beauté. »

Pardonnez-nous ces préambules, mais de même qu'avant de fléchir (ployer ou perdre notre orgueil) il nous faut ré-fléchir, il convient aussi — paradoxalement — avant de jeûner, d'apprendre ce qu'est sortir du jeûne : DE-JEUNER.

5. Substance et vitalité

Chacun d'entre nous sait que tout être vivant a nécessité d'un certain nombre d'éléments contenus dans les aliments pour assurer sa subsistance et par-cela même sa substance.

Le professeur Ehret affirme que la vitalité, l'énergie, la force ne proviennent pas principalement desdits aliments :

« 1) La vitalité ne trouve pas sa source première et directe dans la nourriture, mais dans une force extérieure inconnue dont l'action se traduit par la respiration et la capacité d'effectuer des échanges chimiques. Elle est plus ou moins freinée par les obstructions de l'organisme humain, mucus et produits toxiques.

2) C'est seulement aux dépens de la vitalité (de l'élasticité des tissus) que l'on peut enlever les obstructions par des procédés artificiels, tels que massages, vibrations tissulaires, excès sportifs, etc.

3) L'énergie physique et mentale, en provenance exclusive de l'air et de l'eau, est considérable aussitôt que F (la force) peut travailler sans obstruction dans un corps parfaitement nettoyé. Elle dépasse l'imagination.

4) Personne ne connaît le délai maximal pendant lequel le corps qui se trouve dans cet état idéal peut se passer d'aliments solides et liquides.

5) Dans un tel corps, la force F se nourrit de l'appoint d'autres agents naturels, tels que l'électricité, l'ozone, la lumière (surtout solaire), les parfums des fruits et des fleurs. Dans ces conditions de perfection naturelle, il est même possible que l'azote de l'air puisse être assimilé directement. »

6. Nourritures subtiles

Plus avant dans notre ouvrage nous reviendrons à ces nourritures subtiles à l'assimilation desquelles on devient sensible seulement après s'être livré à la discrimination des aliments ou au jeûne. Notons cependant dès maintenant l'importance de la respiration, apte à accélérer les échanges organiques et l'assimilation des aliments. Sachons aussi que tout est nourriture : le bon commerce avec nos semblables, la nature, les animaux, la pensée, la musique, les odeurs, la prière, la création artistique ou artisanale, les vrais rapports amoureux...

PREMIERE PARTIE

diététique, sagesse et spiritualité

CHAPITRE I

Préambule diététique

Plus prosaïquement, abordons maintenant les aliments solides ou liquides que nous connaissons plus ou moins et qui semblent nécessaires au maintien de notre vie :

1. Les protides ; végétarisme et complicité planétaire

Nom donné au groupe des acides aminés et des corps qui leur donnent naissance par hydrolyse (1). Les protides servent à la construction et à la réparation de nos cellules et au remplacement des cellules usées. Leurs sources principales sont : viandes, soja, fromages (surtout de chèvre), légumes secs, pain complet biologique, amandes, champignons, levure, œufs, noisettes, avoine, lait, pâtes complètes, riz complet, figues séchées et retrempées, légumes frais, beurre...

Dans les chairs animales, les protides sont pour ainsi dire prédigérés pour l'organisme humain et un régime non carné mis trop brutalement en place peut entraîner des accidents dits de sevrage : les végétaux fournissent des protides dont un corps humain infirmé ne peut faire du jour au lendemain la synthèse ; le passage doux du carnivorisme au végétarisme nécessite de six mois à un an.

---

1. Définition donnée par décision de l'Union internationale de la chimie (Cambridge, 1923).
Hydrolyse : fixation d'une molécule d'eau sur une substance qui est ainsi transformée en une autre (ex. : glycogène en glucose).

N.B. : Redevenir végétarien devient une nécessité à l'échelon planétaire : si nous absorbions les céréales directement et non par l'intermédiaire des bêtes d'abattoir, nous pourrions nourrir dix fois plus de monde : il faut dix kilos de céréales pour obtenir un kilo de viande de boucherie. Attention au spectre de la famine qui demain sera, sans doute, une réalité : les réserves nutritives de la terre sont, elles aussi, en voie de disparition.

2. Les glucides ; dangers des aliments transformés

Terme sous lequel on désigne les hydrates de carbone (2). Composition : carbone, hydrogène, oxygène. Ils comprennent les sucres, l'amidon, la cellulose.

Leurs sources principales sont :
a) cellulose : membrane de toutes les cellules végétales (céréales, fruits, légumes...) ;
b) amidon : tapioca, toutes céréales, toutes légumineuses, poireau, tubercules, racines, bulbes, œuf ;
c) sucres : miel, fruits frais, fruits secs et retrempés (directement et facilement assimilables parce que vivants contrairement aux sucres industriels (betterave, canne) qui nécessitent pour leur assimilation des dissociations organiques).

N.B. : L'excès de glucides (dont le pain, le riz, les pâtes blanchis et dénaturés sont l'une des principales causes) provoque arthrose, arthrite, sénilité précoce, obésité, calvitie...

3. Les lipides ; dangers des graisses animales ou cuites

Nom donné aux matières grasses et aux éthers-sels analogues (2). Les lipides groupent tous les corps gras. Ce sont des aliments réchauffeurs et le véhicule des vitamines liposolubles : A, D, E, K. Ce sont les sucs biliaires qui se chargent de leur émulsion.

Leurs principales sources sont : huiles et graisses végétales, fruits oléagineux (amandes, noisettes, arachides, noix), beurre, crème, olives, œufs, fromages, blé germé...

2. Voir note page précédente, idem.

N.B. : « *Les graisses animales sont trop souvent des exutoires où se concentrent microbes, déchets de désassimilation, ptomaïnes, médicaments, pesticides, etc. Le lipide végétal paraît plus sûr et d'une digestibilité plus grande. Donnons la priorité aux corps gras végétaux...* » (Professeur Lautié).

Les huiles végétales doivent être exigées « de première pression à froid » et il faut éviter de les faire cuire.

4. Les vitamines ; dangers des vitamines de synthèse

Substance existant en très petites quantités dans certaines matières alimentaires et n'entrant dans aucune des grandes classes d'aliments ; leur faible dose est nécessaire au corps humain et leur absence entraîne des maladies dites de carence. On a nommé les vitamines : A (que le foie peut fabriquer à partir du carotène), B (ou complexe B : 1, 2, 5, 6, 12, qui préside l'équilibre nutritif et nerveux — assimilation des glucides), C (dont la carence entraîne le scorbut — méfions-nous de l'abus des conserves), D (nécessaire à l'assimilation du calcium — source principale : rayons solaires), E (nécessaire au bon fonctionnement des organes génitaux), F (élément régénérateur de l'épiderme), K (permet la coagulabilité sanguine), P (régit la perméabilité vasculaire), U (assure la protection des muqueuses digestives)...

Bien d'autres vitamines doivent exister et qui n'ont pas encore été répertoriées. Leurs principales sources sont tous les végétaux et fruits biologiques frais et crus, en évitant l'adjonction de vinaigre. Le blé germé les possède presque toutes.

N.B. : Les vitamines chimiques sont absolument déconseillées.

5. Les oligo-éléments et les sels minéraux

— **Oligo-éléments :** nom donné à certains métaux et métalloïdes qui, à très petites doses, dans l'alimentation jouent le rôle de catalyseurs. Les principaux sont : cuivre, or, argent, manganèse, zinc, cobalt, fluor, iode, aluminium, lithium, fer, bismuth, potassium...

— **Sels minéraux :** éléments nutritifs dont les organismes vivants ont besoin, à doses infinitésimales, pour assurer le maintien de leur vie. Les principaux sont : calcium, silice, phosphore, soufre, pectine, mucilages, arsenic...

Leurs principales sources sont les végétaux et les fruits frais et crus, l'eau fraîche et pure, les levures diététiques, les laitages non dénaturés, les viandes et poissons biologiques...

N.B. : L'association cuivre-or-argent, par exemple, réalise une polycatalyse qui semble présider à tous les phénomènes d'autodéfense (consulter, à ce sujet, l'ouvrage remarquable du docteur Picard — voir notre bibliographie).

Le blé germé est très riche en oligo-éléments et sels minéraux.

On a remarqué que les cancers s'implantent rarement sur des terrains non carencés en silice et magnésium.

6. L'eau ; dangers du thé, café, chocolat

Corps composé de deux volumes d'hydrogène et d'un volume d'oxygène, et qui est liquide à la température ordinaire.

Si l'eau représente environ les quatre cinquièmes du poids d'un corps humain, elle est contenue en plus grande quantité encore dans tous les végétaux et fruits et son absorption ne devient plus nécessaire à ceux qui ont atteint le presque dernier stade de la discrémination alimentaire : nous avons rencontré un médecin frugivore qui n'avait consommé qu'un seul verre d'eau en vingt ans.

Les liquides autres que l'eau (vin, cidre, infusion, bouillon...) ne sont pas nocifs, en petite quantité, si les traitements qu'ils ont subis n'ont pas altéré leur qualité originelle.

N.B. : L'eau fraîche et pure, l'eau qui vient d'être cueillie, ou bue à la source même, sont pour les citadins l'image même du paradis perdu. Les eaux dites minérales sont toutes polluées par les sols — sauf la Volvic en ce qui concerne la France — et mortes, car séparées de leur élément naturel — elles perdent presque immédiatement leurs vitalité et propriétés.

Le café, le thé, le chocolat sont des boissons également nocives ; on les remplacera avantageusement par des tisanes de thym et romarin.

7. La chlorophylle

Matière colorante des parties vertes d'une plante.

Elle a permis la naissance de l'atmosphère oxygénée qui est celle de notre terre. Sans elle la vie s'arrêterait instantanément.

« Elle permet de capter l'énergie solaire et de former les sucres, les amidons et les protides. Elle fait nos légumes, nos fruits, nos céréales, nos bois. Elle entre dans la composition des aliments verts. C'est une source de magnésium assimilable. Elle aide notre organisme à synthétiser son hémoglobine. Elle combat efficacement les anémies et accélère les convalescences. Elle purifie et dynamise le sang. Elle le fluidifie et active les globules blancs... » (Professeur Lautié)

8. Absorption et assimilation

Après cet aperçu sommaire de nos connaissances actuelles sur nos nourritures physiques (on ignorait encore tout des oligo-éléments il y a quelques dizaines d'années), nous nous garderons d'aborder la physiologie de la digestion car nous déborderions le cadre de notre court manuel, alors que de très bons ouvrages en traitent spécifiquement, mais nous nous permettons d'insister sur ce point :

Nous sommes la transformation non de ce que nous absorbons mais de ce que nous assimilons ou ne pouvons rejeter et, à ce propos, s'il nous faut des catalyseurs chimiques externes (le calcium nécessiterait à lui seul pour son assimilation la présence d'une douzaine d'autres éléments), n'oublions pas l'importance de notre propre apport psychique dans cette transformation mystérieuse et divine d'une cellule en une autre : c'est, hélas ! trop souvent notre cerveau qui digère, qui redonne vie aux aliments morts que nous avalons afin de l'occuper à cette fonction qui n'est pas la sienne mais qui nous permet, par-cela même, de fuir notre angoisse.

Les plaisirs occasionnés par la satisfaction de nos besoins les firent se multiplier et ils ont envahi à tel point notre vie que nous les faisons passer avant nos nécessités.

Besoin, étymologiquement, vient du mot *besogne* (synonyme de travail, lui-même synonyme de supplice — de *tre pallium* : instrument à 3 pales à l'aide duquel on immobilisait les grands mammifères) et *nécessité* signifie : ce sans quoi il est absolument impossible de vivre.

9. Quelles sont nos nécessités ?

La confusion contemporaine est si grande que nous n'avons rencontré que peu de gens capables de répondre à cette simple question sans se livrer à de très longues réflexions.

Refermez notre ouvrage et tentez courageusement d'y répondre.

Quelles sont nos nécessités ?

1) Respirer
2) Boire et manger
3) Dormir
4) Aimer ou croire

Et comme nul d'entre nous ne fut éduqué, élevé, porté plus haut, on ne peut prendre conscience de ces dites nécessités que par l'asphyxie, la famine, l'insomnie ou la solitude totale...

Ou bien par la souffrance qui peut mener, si l'on n'exige pas d'en être soulagé, à la réflexion, à la méditation puis à l'ascèse.

1) Le yoga, le chant et la prière à voix haute sont des pratiques salutaires pour prendre conscience de la respiration et de l'analogie du souffle et de l'âme.

2) Les jeûnes secs ou humides nous font connaître la vraie faim, celle qui n'est pas liée à des automatismes, à des réplétions, à des angoisses fictives.

3) L'insomnie, si l'on refuse la narcose que procure les tranquillisants, est apte à nous procurer un sommeil réellement réparateur si l'on accepte d'assumer la réflexion qu'elle nous propose.

4) La perte d'un être qu'on ignorait cher jusqu'à ce moment irrémédiable, une liaison « déçue » peuvent nous restituer avec acuité notre irréelle solitude et nous amener vers la vraie, celle qui est toute peuplée par l'Amour véritable, oubli et don de soi, et non plus égotisme et égoïsme.

Et ceux qui se livrent profondément à l'ascèse que réclame la compréhension de nos trois premières nécessités peuvent effectivement rester très longtemps sans respirer, boire, manger ou dormir mais ne supportent plus un instant sans Amour, première et essentielle nourriture, qu'on le donne ou le reçoive.

10. Courants telluriques et cosmiques ; pollutions citadines

On ne peut vivre heureusement que les pieds sur terre et la tête dans les nuages, c'est-à-dire en contact constant et conscient avec les forces de l'instinct que nous propose le contact direct avec la Nature quand nous œuvrons dans les champs, et en contact constant avec le Ciel pour le remercier des dons de vie qu'Il nous offre et que nos mains nous permettent de semer et de récolter.

Les racines des végétaux puisent les courants telluriques dans le sol, et leurs branches captent les courants cosmiques qui descendent du ciel et ces forces complémentaires permettent la montée de la sève qui est le sang de l'arbre et l'homme, arbre qui marche, doit ne plus quitter ces courants de vie qu'il retrouvera s'il parcourt les champs et les prés, pieds et tête nus, car la pensée irriguera à nouveau son âme.

Aujourd'hui, hélas ! nous ne subsistons plus qu'à travers le social, domaine des apparences, du mensonge, du vol, de l'hypocrisie, du viol, de l'assassinat, de la lâcheté, du paternalisme ; ses règles sont aussi abstraites et absurdes que celles de n'importe quel jeu : poker, canasta ou monopoly.

Ce climat d'impuretés dont l'agglomération des hommes dans les villes est à la fois cause et effet, ce climat d'impuretés pourrait être racheté non par les distractions, les loisirs organisés, le recours à l'alcool ou aux drogues mais par une plongée en soi-même où chacun pourrait accomplir son examen de conscience et se demander quel est l'acte quotidien qu'il a commis pour aider à sa propre évolution et à celle de tout ce qui subsiste encore.

Nous avons perdu la terre, nous avons perdu le ciel, et la société, qui n'était qu'un purgatoire, est devenue l'enfer.

Jeûner de ses nécessités fait tomber nos besoins comme des feuilles mortes et permet de retrouver la primauté de l'instinct et de la spiritualité, et la complicité avec tout ce qui nous entoure... A condition que cette abstinence ne soit pas consentie seulement pour sauver son corps et retomber, dès que la santé est revenue, dans les habitudes qui nous la firent perdre.

Marc Aurèle disait :

« Mon Dieu, donnez-moi la sérénité d'accepter les choses que je ne puis changer, le courage de changer celles que je peux, et la sagesse d'en connaître la différence. »

Oui, il faut parvenir à la sagesse d'en connaître la différence, afin de ne pas trouver de fausses excuses qui nous permettraient de ne pas bouger. Si chacun de nous, au lieu d'accuser autrui, prenait tout à son compte en faisant sincèrement son *Mea Culpa,* la terre deviendrait instantanément un paradis. N'attendons pas que les autres nous donnent l'exemple et donnons-le nous-même.

Oui. Mais par où commencer ?

11. La mastication selon Fletcher

Tout voyage, quelle qu'en soit la durée, commence par un pas. Faisons le premier, les autres aisément suivront.

En diététique la mastication est l'un des éléments les plus importants car ce qui compte n'est pas la matière alimentaire mais la vie que cette matière porte et cet essentiel est assimilé par les dents et le palais. Il vaut mieux mâcher trente fois la même bouchée que d'avaler trente bouchées. Cette pratique permet d'être très vite rassasié et de retrouver le goût : tout aliment longuement mastiqué, s'il est bon, devient meilleur en offrant des goûts sans cesse différents mais devient de plus en plus mauvais, s'il est mauvais pour notre complexion.

« Boire les solides et mâcher les liquides », disait un sage de l'Antiquité. Notre contemporain Fletcher donne les préceptes suivants :

« 1) N'introduisez dans votre bouche qu'une très petite quantité d'aliments ;

2) N'introduisez pas de nouvelles bouchées avant que la précédente soit complètement avalée ;

3) Toutes les parcelles d'aliments, sans exception, doivent être réduites dans la bouche, soit à l'état liquide, soit à l'état de bouillie, avant d'être avalées ;

4) Les aliments mous ou réduits par la cuisson à l'état de bouillie, de purée, doivent être mâchés et insalivés à peu près autant que les aliments solides ;

5) Si vous n'avez pas le temps de mâcher vos aliments d'une manière convenable, réduisez la quantité de nourriture plutôt que d'avaler sans mâcher ;

6) Ne soyez pas vorace ; ne vous jetez pas sur votre nourriture comme le ferait un affamé ; n'engloutissez pas les aliments dans votre estomac, ne vous bourrez pas ;

7) Cessez immédiatement de manger lorsque vous sentez que votre appétit est satisfait. Ne vous laissez pas tenter par les friandises ;

8) Ce qui profite à votre organisme n'est pas ce que vous mangez, mais ce que vous assimilez ;

9) Lorsque les aliments sont réduits par la mastication à l'état de bouillie ou à l'état liquide, le travail de l'estomac est réduit de moitié. »

Cette discipline vous évitera bien des malaises ou maladies par l'absence de fermentations que procure l'élimination totale des déchets et vous fera quitter ce que Jésus nommait *« les marais putrides » :*

« Aussi, lorsque vous prenez votre repas, pensez que vous avez au-dessus de vous l'ange de l'air et au-dessous de vous l'ange de l'eau. Chaque fois que vous mangez, respirez lentement et profondément afin que l'ange de l'air puisse bénir vos repas. Et surtout, mastiquez bien votre nourriture avec vos dents jusqu'à ce qu'elle prenne une consistance fluide et que l'ange de l'eau la transforme en sang dans votre organisme. Mangez donc lentement, comme s'il s'agissait d'une

prière que vous adressez au Seigneur. Car je vous le dis, en vérité, la puissance de Dieu entrera en vous, si, à sa table, vous mangez de cette manière. Quant à ceux en lesquels les anges de l'air et de l'eau ne descendent pas au moment des repas, Satan transforme leurs corps en marécage putride...

« Ne pénétrez dans le temple du Seigneur que lorsque vous sentirez en vous-mêmes l'appel de ses anges, car tout ce que vous mangez dans la tristesse, dans la colère ou sans désir, se transforme en poison dans votre corps...

« Et ne prenez jamais place à la table de Dieu avant qu'Il vous y appelle par l'ange de l'appétit. »

12. Evangile diététique selon Jésus

Jésus préconisait aussi une nutrition basée seulement sur les aliments issus des lieux où nous vivons, selon les saisons :

« Dès le début du mois de mai mangez de l'orge ; durant le mois de juin mangez du froment, la plus parfaite parmi les herbes portant graine. Et faites en sorte que votre pain quotidien soit fait de froment afin que le Seigneur puisse prendre soin de vos corps. Durant le mois de juillet, mangez des fruits acides afin que votre corps s'amaigrisse et que Satan en soit chassé. Durant le mois de septembre, récoltez les raisins afin que leur jus vous serve de boisson. Durant le mois d'octobre, récoltez les raisins doux sucrés et séchés par l'ange du Soleil afin qu'ils fortifient vos corps, car en eux, les anges du Seigneur y demeurent. Vous devez manger les figues riches en jus durant les mois d'août et de janvier, quant à l'excédent de ce que vous récolterez, laissez l'ange du Soleil sécher ces fruits pour vous. Mangez-les avec la chair des amandes durant tous les mois où les arbres ne portent aucun fruit. Quant aux herbes qui poussent après la pluie, consommez-les durant le mois de décembre afin de purifier votre sang de tous vos péchés. Et durant le même mois commencez aussi à boire le lait de vos bêtes, car c'est pour cela que le Seigneur donne les herbes des champs à toutes les bêtes qui donnent du lait, de façon que par le lait elles contribuent à la nourriture de l'homme. Car je vous le dis, en vérité, heureux ceux qui mangent seulement les mets de la table de Dieu et qui fuient toutes les abominations de Satan.

« Ne consommez pas d'aliments impurs qui sont apportés des contrées lointaines, mais mangez tout ce que vos arbres produisent. »

Et Il ajoutait ceci :

« Ne tuez ni hommes ni bêtes et ne détruisez pas les aliments que

vous portez à votre bouche, car si vous mangez des aliments vivants ceux-là vous vivifieront : mais si vous tuez pour obtenir votre nourriture, la chair morte vous tuera à son tour. Car la vie procède seulement de la vie et de la mort ne sort toujours que la mort. Et tout ce qui tue vos aliments tue aussi vos âmes.

« Voilà pourquoi vous ne devez manger rien de ce que le feu, le froid ou l'eau ont transformé. Car les aliments cuits, gelés ou avariés, refroidissent et empoisonnent aussi votre corps.

« Ainsi mangez tout ce qui se trouve sur la table de Dieu : les fruits des arbres, les graines et les herbes des champs, le lait des animaux et le miel des abeilles. Tout autre aliment mène aux maladies et à la mort.

« Ne cuisez pas et ne mélangez pas les aliments les uns avec les autres, de peur que vos festins ne soient transformés en marais putrides.

« En conséquence prenez grand soin du temple de votre corps et ne le souillez pas avec toutes sortes d'abomination. »

13. Viandes et poissons

Parallèlement aux travaux que poursuivait Lucie Randoin sur la composition chimique des végétaux alimentaires, à Lausanne, dans ses *Nouvelles lois de l'alimentation,* en 1937, le docteur Kouchakoff démontrait le bien-fondé des affirmations de Jésus : l'ingestion d'un aliment mort, ou cuit, provoque toujours chez un être humain la multiplication des globules blancs ; leur nombre passe instantanément de 7 000 à 20 000, par millimètre cube de sang, dès que s'opère la mastication et même si l'aliment est recraché. Nous nous livrons donc chaque jour, et plusieurs fois, à une légère leucémie, et notre organisme s'use prématurément suite à ces agressions alimentaires millénaires auxquelles nous le livrons ; cette réaction de l'organisme, semblable à celle provoquée par l'intrusion de virus ou de microbes, ne se produit jamais à l'ingestion d'aliments frais et crus.

Tous les carnivores ont les canines longues et les intestins courts afin de pouvoir, d'une part, aisément déchiqueter des chairs fraîches et dures et, d'autre part, afin que ces nourritures fermentatives séjournent peu de temps dans leur colon. Or, il se trouve que l'homme a l'intestin long et les canines très courtes.

La viande de boucherie qui nous est proposée est généralement attendrie une dizaine de jours par la putréfaction : notre dentition serait inapte à la mastiquer fraîche car trop dure... Fraîche, terme impropre, il n'y a pas de cadavres frais : la putréfaction est simplement plus ou moins avancée.

Un poisson, dès qu'il est sorti de l'eau, commence un processus de transformation qui l'amène à dégager l'odeur que nous lui connaissons et qui est celle du pipi : il se charge en urate de protéines, en urée. Il était une peuplade de pêcheurs japonais qui mangeait les poissons avant que ce processus n'intervienne, c'est-à-dire vivants et sous l'eau.

Les enfants issus de parents végétariens, ayant tété durant deux ans le lait de leur mère, s'ils sont judicieusement nourris, échappent à toutes les maladies dites « d'enfance ». Nous avons vu des adultes devenus végétariens constater que leur cloison nasale ou leur voûte plantaire s'étaient redressées. Nous avons aussi rencontré des végétariennes de naissance qui connaissaient toutes l'instant précis de leur ovulation et dont les règles ne se manifestaient, sans aucune sensation désagréable, que par la perte d'une goutte de sang tous les vingt-huit jours.

14. La longévité

Les normes d'un être humain ne sont véritablement pas celles qu'il croit. Les récentes découvertes de Jean Rostand sur la longévité démontrent qu'un être humain devrait vivre aujourd'hui 150 ans : il est biologiquement construit pour cela ; et 150 ans d'une vie où vieillesse ne serait pas synonyme de décrépitude ou de gâtisme, mais d'esprit de plus en plus clair et de tendresse de plus en plus grande. Nous devrions tomber un jour comme un arbre avec nos facultés accrues et en possession de toutes nos dents et de tous nos cheveux. Les dernières études sur les peuples essentiellement crudivores depuis des millénaires corroborent ces affirmations : leur moyenne d'âge est de 120 ans.

Il est vraisemblable que l'une des premières erreurs de l'homme fut d'émigrer des pays tropicaux dont il était originaire, et qui étaient aptes à le nourrir toute l'année par leur force solaire et la provende quasi continuelle de leurs fruits et de leurs herbes. Il lui fallut alors inventer le feu pour se réchauffer et rendre masticable la chair de ses frères animaux, seules ressources alimentaires hivernales des pays froids. Sans doute aurait-il mieux agi en apprenant à hiberner.

Le feu est depuis toujours le symbole de l'enfer et il le reste dans ses applications culinaires et industrielles. Et, symboliquement, Prométhée ne fut-il pas condamné à avoir le foie rongé éternellement par un aigle pour avoir apporté aux hommes le feu du ciel ? La cuisson des aliments ronge notre foie comme celui de Prométhée. Souvenons-nous aussi qu'en hébreu foie signifie aussi grâce. Nous brûlons tout et tout nous brûle, sauf l'Amour dont Jean de la Croix dit *« feu qui consume sans causer de souffrance »*.

Les lois de la Nature sont un absolu mais il y a le relatif dans lequel nous sommes plus qu'engagés maintenant, et si chacun de nous peut redresser la barre pour retrouver la bonne direction, il ne le peut que millimètre par millimètre : avant de passer à des conseils culinaires pratiques et pour mieux éclairer notre lanterne, nous vous proposons des extraits d'une conversation que nous eûmes avec le docteur Alfred Tomatis, appendu depuis déjà longtemps à des ascèses diététiques (3).

3. *Guitare et musique, chanson, poésie*. Nouvelle série : nos 2, 3, 5, 6, 7 (1974).

CHAPITRE II

Entretien avec le docteur Alfred Tomatis

1. Organisme et compatibilité

« L'inconvénient de vouloir persuader les gens de ce que vous venez de dire tient dans le fait que vous perturbez leurs habitudes et que vous touchez à un problème psychanalytique important qui est celui de la nourriture lié directement à celui de l'attachement à la mère. Si vous prenez quelqu'un, par exemple quelqu'un qui a toujours mal mangé, vous voyez qu'il est plus ou moins bien, plus ou moins mal, mais qu'il existe à travers cet état de déséquilibre. Si vous commencez un jour à vouloir lui faire faire une ascèse alimentaire, si vous l'obligez à manger correctement, vous le rendez furieux parce que vous modifiez ses points de références. Certaines personnes arguent de cet élément pour vous dire : *« Vous voyez, si vous mangiez comme les autres, eh bien, vous supporteriez tout ! »* C'est à mon avis une erreur fondamentale. En mangeant correctement, on arrive à une épuration, et le corps se met intelligemment à refuser ce qui ne lui convient pas. Il arrive donc qu'à un moment donné il y a incompatibilité entre l'organisme et le mauvais aliment. »

2. Radiations, harmonie et vie

« Lorsque vous tuez un aliment en le faisant cuire, vous lui enlevez toutes ses vibrations. Nous sommes en présence du même phénomène que celui dont nous parlions musicalement tout à l'heure, car tout est lié lorsqu'il s'agit de la vie. Irradier quelque chose, cela veut dire le mettre en présence du soleil ; c'est mettre toutes les molécules en danse et le plus finement possible pour arriver à cette première modulation du silence ; on lui redonne en fait son champ vivant, et ce n'est pas l'aliment que vous mangez, c'est l'élément vivant qu'il contient. Lorsqu'on est très exercé sur le plan alimentaire, on ne peut plus rien manger de cuit parce que cela ne sert à rien. Il vaut mieux ne pas manger.

En ce qui concerne les mélanges alimentaires, on arrive aux mêmes conclusions vibratoires. Chaque aliment a sa vibration propre, sa résonance propre et l'on ne doit pas mélanger dans les repas des aliments dont les vibrations ne sont pas en harmonie entre elles. On peut arriver, si l'on ne suit pas certains principes de non-mélanges, à créer une disharmonie, une discordance qui sont source d'indigestion. Si vous mangez par exemple un sucre du type amidon qui commence d'être digéré dans la bouche, et que vous y ajoutez seulement 2 gouttes d'acide, la ptyaline est tuée. Or vous savez que celle-ci se fabrique à dose homéopathique chez l'être humain et que, pour avoir un litre de ptyaline, il faudrait trois régiments d'hommes. Eh bien, si vous mettez 2 gouttes de citron seulement dans un litre de ptyaline, vous la coagulez et elle ne sert plus à rien !

Le génie humain, avec son côté diabolique, a inventé tous les mélanges possibles pour que la digestion ne se fasse pas, et l'art culinaire est justement fondé sur les mélanges savants de produits non digérables. Pourquoi donc tous ces efforts gastronomiques ? Il me semble que l'on peut proposer une solution psycho-physiologique à ce problème qui se montre des plus essentiels pour la gent humaine. Il faut en tout premier lieu préciser que l'énergie nécessaire à la digestion vient du cerveau. »

3. Appétit et angoisse

« Lorsque le tube digestif doit faire face à une digestion difficile, de plusieurs heures, due à l'absorption d'un repas mal composé, aberrant sur le plan des mélanges, le cerveau doit faire un effort pour envoyer le courant nécessaire à la digestion. Pendant tout ce temps, l'être digérant ne pense plus. Il n'a plus d'angoisse. Les gens mangent pour diminuer leur angoisse. Ils s'épuisent à mal digérer et évitent ainsi les moments de face à face avec les grands problèmes de la vie.

— Animés par la crainte de réfléchir, ils fuient la réflexion.

— Oui, et alors les réactions psychosomatiques deviennent insensées. Lorsque son intestin est plein, replet, comblé, l'homme reçoit bien sûr des sensations proprioceptives qui sont intégrées au niveau thalamique mais qui sont toujours mal traduites ; plus l'intestin est plein, plus on a l'impression d'avoir faim, mais il s'agit là d'une fausse faim qui correspond à une insatisfaction, à une gêne viscérale qui provient du fait que le malheureux organisme finit par se vider par réplétion et non plus par mécanique digestive. Alors que si l'on commence à bien manger, on peut connaître la vraie faim. C'est tout à fait extraordinaire. »

4. L'intelligence du corps

« L'être humain survit parce qu'il arrive à avoir un corps plus intelligent que lui-même, qui se défend comme il peut. Mais, un beau jour, tout craque. En ce qui concerne la sagesse alimentaire, il n'y a qu'à prendre les deux lignes qui sont écrites dans la Genèse, au sixième jour : *« Tu mangeras l'herbe portant semence, et le fruit portant semence. »* C'est tout. En dehors de cela, il n'y a rien. On a ajouté tout le reste, mais c'est un complément bien dangereux.

Il serait donc raisonnable de manger ces fruits et légumes en y ajoutant des laitages et, au début de la mise en fonction de ce régime, des fromages qui apportent des acides aminés, en attendant que l'on sache faire soi-même une synthèse de ces acides aminés. Ce qu'on ne peut faire en certains cas, c'est prendre un sujet qui mange de la viande et la lui supprimer d'un jour à l'autre parce que, malgré les éléments toxiques, celle-ci possède des acides aminés prédigérés. Cela permet à un être de réaliser la synthèse qu'il ne sait plus faire, et l'on ne doit pas le sevrer du jour au lendemain en disant : « *Vous arrêtez la viande.* » Par contre, si vous demandez au sujet de ne jamais faire de mauvais mélanges tout en tolérant la viande, le poisson... vous le voyez, au bout de cinq à six semaines, rejeter la viande parce qu'elle sent mauvais. Son odorat change parce qu'au lieu d'avoir un magma intestinal, celui des marais putrides, il a un tube digestif sans fermentation, si bien que toute sa sensibilité change. »

5. La libération nutritionnelle

« — Oui. Pour retrouver le goût, et l'odorat qui y est lié directement, il faut environ deux ans. L'être est libéré.

— Très exactement. Il s'agit d'une véritable libération : son visage s'éclaire, sa peau s'éclaircit, son teint s'illumine, ses rides s'effacent, ses yeux brillent. Il devient transparent et sa présence dégage harmonie et pureté. Ses vibrations ont changé. C'est là que nous rejoignons la musique avec ses concepts d'harmonie et de vibrations.

— Il devient juste. De là à devenir un juste, il reste quelques pas à franchir.

— Oui. Tout au long de sa démarche de libération nutritionnelle, on le voit, après avoir rejeté la viande, se rabattre sur le poisson pour y renoncer aussi à cause de sa puanteur. Le poisson a toujours senti mauvais mais l'individu ne s'en apercevait pas. Avec un odorat redevenu fin et discriminateur, on constate immédiatement que le poisson sent l'urée. Il se rend compte que c'est immangeable. Il va alors vers les fromages cuits et fermentés, puants.

— Camembert, brie, livarot...

— Toute la gamme de ceux riches en acides aminés et cela jusqu'au jour où, devenu capable de faire sa propre synthèse...

— Il vient aux laitages et fromages frais.

— Ainsi, peu à peu, sans l'avoir voulu au départ, il exige des aliments vivants, vibrants, sains...

— Sain et saint ont une consonance bien semblable. Mais il est certain qu'avec un jeûne long, le sujet peut franchir ce pas d'un seul coup : il redonne à son corps infirmé toutes ses possibilités.

— Oui. Celui qui fait les analyses les plus fines, c'est celui qui perçoit les plus fines vibrations : l'émotif. On ne peut certes pas pousser tout le monde au même moment ; l'émotif y arrive 10 fois plus vite...

— Pour arriver sans heurt au crudivorisme-frugivorisme, il faut une dizaine d'années.

— Oui. Il faut apprendre la patience.

— Novalis disait : « *C'est l'impatience qui nous fit perdre le paradis et ce n'est pas l'impatience qui nous le rendra.* » L'homme s'est relevé trop tôt : il devrait encore marcher à quatre pattes, son système digestif fonctionnerait mieux et il n'aurait pas perdu son instinct et sa complicité planétaire et inter-planétaire.

— Oui. Et l'un des premiers avantages de cette démarche alimentaire est la modification du sommeil. Celui-ci se diminue et s'apaise.

— La digestion, ou plutôt l'indigestion de mauvais aliments nécessite un travail monstrueux qui réclame de longs sommeils... troublés de cauchemars. Puisque l'on paye le travail fourni, on devrait payer ceux qui se nourrissent mal : c'est le plus grand effort qu'ils ont à fournir. »

6. La discrimination alimentaire

« — La discrimination alimentaire est une technique d'éveil et, par conséquent, de prise de conscience. Il est intéressant de remarquer qu'on ne finit par ne manger que des fruits doux. Les fruits acides ou mi-acides sont mangés de façon plus parcimonieuse. La poire est toujours éliminée car elle donne des troubles digestifs importants.

— La pomme doit être un aliment complet à condition de manger toute sa thématique : peau, trognon et pépins. J'ai un ami jardinier qui ne mange que des pommes toute l'année, exception faite pour le mois de septembre où il ne se nourrit que de raisins. Pommes et raisins sont les fruits de ses propres soins et je crois que l'amour qu'il leur accorde, en tant que jardinier, font que ces éléments sont en quelque sorte prédigérés par lui avant d'être cueillis. L'Amour est capable de redonner vie à un aliment mort. J'ai une autre amie végétarienne, et les pommes de terre qu'elle prépare, même frites, ne procurent aucune fermentation. Péri, c'est son prénom, ne pense qu'aux autres. Elle a retrouvé dans chacun de ses actes la vibration du silence, celle dont parle Jean de la Croix : « *La musique qui monte de toutes choses créées quand se tait le vacarme que fait la mémoire.* »

7. Le lavement intestinal

« — Un autre point sur lequel on insiste dans le livre *La Paix de saint Jean* est le problème de l'intestin. Le lavement est préconisé à titre de purification de l'organisme.

— Bien sûr.

— On n'en fait plus jamais : cela paraît être une condamnation. Or l'extérieur du corps, c'est la peau ; mais l'intestin c'est encore de l'extérieur ; l'intérieur c'est le sang. Et comme nous ne sommes pas faits pour être en posture verticale, nous pouvons constater que le tube digestif ne peut pas se vider complètement. Il existe des tubulures, des replis, des coudes qui empêchent la mécanique de se faire normalement. Si bien qu'il est nécessaire de faire le ménage de temps en temps dans la maison.

— Docteur Tomatis, et le pain ?

— On ne connaît plus ses véritables propriétés qui sont d'une richesse exceptionnelle ; le pain de froment cuit au soleil est à lui seul un aliment complet : il n'y a rien à y ajouter. Tous ceux qui ont mis des gens au pain sec leur ont rendu un service extraordinaire. »

CHAPITRE III

Notions essentielles de diététique

1. Le vrai pain

Mais, hélas ! un des plus grands crimes que l'humanité ait commis contre elle-même (et Dieu sait qu'il n'en manque pas) est d'avoir fait de cet aliment total qui pourrait suffire à la nutrition de tout homme, un produit insipide, mort, incolore, inodore et empoisonné : générateur d'arthrose, d'arthrite, d'obésité, de sénilité, de calvitie, de maladies de carences de toutes sortes, dont le cancer. La terre est brûlée par les engrais chimiques et les pesticides, ainsi que le blé lui-même que l'on cueille généralement vert, avant que « l'ange du Soleil » ne le nourrisse de sa force, et que l'on emmagasine ensuite dans des silos impropres où il est inondé de produits dits de conservation ; on lui ôte ensuite son enveloppe (le son) destinée au bétail et son germe qui servira à la confection de spécialités diététiques ou pharmaceutiques — vendues à prix d'or — pour l'alimentation des enfants et des convalescents. On le vend donc trois fois. On le broie alors à la meule d'acier, qui le tue, en le brûlant ; pour l'achever définitivement, cette farine est passée à l'arc électrique ; sa pâte est levée et trouée artificiellement et cuite dans des fours à mazout où elle récolte des résidus toxiques.

« Donnez-nous aujourd'hui notre pain quotidien » du Notre-Père, revêt le vrai pain de froment d'un aspect symbolique tout à fait justifié : le véritable pain complet biologique cuit dans des conditions raisonnables (au soleil, en four à bois, aux infrarouges) est le seul aliment composé dans les mêmes proportions de presque tous les éléments d'un corps humain, et le seul qui, après ces formes de cuisson, augmente sa force radio-vitale : le grain de blé biologique mesure 9 000

angströms et, transformé en ce pain, on lui en trouve entre 10 000 et 11 000. Alors que tous les aliments maltraités par le feu perdent presque toute, ou toute puissance vivifiante (ou au mieux, bien traités, la conservent) lui l'enrichit. Nous allons revenir par la suite à cette unité de mesure radiesthésique qu'est l'angström. Auparavant lisons la recette du Christ pour la cuisson de ce pain :

« L'un d'eux demanda : — *Maître, où se trouve le feu de vie ?*

— *En vous, dans votre sang et dans votre corps.* Et d'autres demandèrent : — *Où se trouve le feu de mort ?*

— *C'est le feu qui brûle hors de votre corps, qui est plus chaud que votre sang. C'est avec ce feu de mort que, dans vos maisons et aux champs, vous cuisez vos aliments. Je vous le dis, en vérité, c'est le même feu qui détruit vos aliments et vos corps, semblable au feu de la malice qui ravage vos pensées et corrompt vos esprits. Car votre corps devient semblable à la nourriture que vous absorbez et votre esprit semblable à ce que vous pensez. Ne mangez donc rien de ce qui a été tué par un feu plus brûlant que le feu de vie. En conséquence, préparez et mangez tous les fruits des arbres et tous ceux des herbes des champs ainsi que le lait des bêtes qui est bon pour votre nourriture. Car tous ces aliments ont crû, ont été mûris et préparés par le feu de vie ; tous sont des dons des anges de notre Mère, la Terre. Par contre, ne mangez aucun des aliments qui doivent seulement leur saveur au feu de mort, car ils sont de Satan.*

Et quelques-uns, au comble de l'étonnement, demandèrent :
— *Maître, comment, sans feu, devons-nous cuire notre pain quotidien ?*
— *Laissez les anges de Dieu préparer votre pain. Humectez d'abord votre froment afin que l'ange de l'eau entre en lui ; puis placez-le tout à l'air afin que l'ange de l'air puisse aussi l'embrasser. Et laissez-le tout du matin jusqu'au soir exposé aux rayons du soleil afin que l'ange du soleil puisse y descendre. Et la bénédiction de ces trois anges fera que bientôt le germe de vie se développera dans votre blé. Alors écrasez votre grain, préparez-en de minces hosties, comme le firent vos pères lorsqu'ils quittèrent l'Egypte, cette maison de servitude. Exposez de nouveau ces galettes aux rayons du soleil et cela dès l'aurore jusqu'au moment où le soleil est à son point culminant dans le ciel, puis retournez-les de l'autre côté afin que l'autre face soit aussi embrassée par l'ange du soleil et laissez là ces galettes jusqu'au coucher du soleil. Car ce sont les anges de l'eau, de l'air et du soleil qui ont nourri et fait mûrir le blé dans les champs et ils doivent de la même manière également présider à la fabrication de votre pain. Et le même soleil qui, grâce au feu de la vie, a fait grandir et mûrir le grain de blé, doit cuire votre pain par le même feu. Car le feu du soleil donne la vie au blé, au pain et à votre corps. Tandis que le feu de mort tue le blé, le pain et le*

corps. Or, les anges de vie du Dieu vivant ne servent que les hommes vivants. Car Dieu est le Dieu de la vie et non le Dieu de la mort. »

Nous avons pu apprécier ce pain-là dont nul, à notre connaissance, n'a encore mesuré les vibrations : nous l'avons fait cuire, en Corse, entre des pierres réfractaires à l'aide du seul soleil ; cette provende, accompagnée d'huile d'olive et de feuilles, fleurs, fruits, racines de végétaux sauvages, fut notre nourriture... avec, bien sûr, le silence des montagnes, leur air, leur lumière et les attentions que chacun des membres de notre groupe dispensait aux autres.

Faute d'une chaleur solaire suffisante, sa cuisson au four à bois ou aux infrarouges lui conserve moultes qualités et il demeure nutritif et digeste, à condition de le manger un peu sec et après l'avoir exposé à la lumière du jour, même si le soleil est voilé par les nuages, afin de le revitaliser.

Nous avions un jour oublié, dans le garde-manger d'une maison de campagne, un demi-pain complet biologique (production Lemaire) qu'un an plus tard nous retrouvâmes intact mais dur comme de la pierre ; nous l'avons mouillé, remis au four puis savouré délicieusement.

2. Le blé germé

Il est une autre manière de consommer les vertus du blé, beaucoup plus simple et réalisable pour les citadins que la plupart d'entre nous sont devenus ; elle consiste à le mastiquer longuement sous forme de blé germé. La germination augmente aussi sa vitalité (de 9 000 à 10 000 angströms) et rend facilement et directement assimilables tous ses composants (lipides, glucides, protides, sels minéraux, oligo-éléments, vitamines...). La consommation quotidienne de cette panacée qu'est le grain de blé germé peut empêcher toutes les carences à condition, certes, d'être en mesure de les assimiler. Sa préparation en est aisée :

Prendre une soucoupe dans laquelle on verse une cuillerée à soupe de blé biologique à germer (trouvable dans la plupart des magasins diététiques ou directement chez un cultivateur conscient et probe) ; humecter matin et soir d'un peu d'eau, de telle sorte que les grains ne soient pas totalement immergés ; le troisième jour apparaît un petit point blanc : le germe, le blé est consommable : attendri et enrichi par la germination ; avoir donc toujours 3 soucoupes emplies de cette manne pour assurer un relais journalier.

Si vous désirez utiliser le blé sous forme de farine, achetez-le en grains et broyez-le (moulin à café ou à céréales) au fur et à mesure de vos besoins afin de préserver sa vie. On a retrouvé dans les monuments égyptiens (datés de 3 000 à 2 000 ans avant notre ère) des grains de blé... que l'on a semés et qui donnèrent épis. Le pain, issu de leur farine, est dénommé « *Pain de la Grande Pyramide* ».

3. Chasse, élevage en batterie, vivisection

La consommation du pain, au début de ce siècle, était considérable puis la transformation que lui firent subir, en France, les grands meuniers fit que le public, sagement, s'en détacha... et le remplaça, désavantageusement, par la viande qui, comme la voiture, fut pour lui un moyen d'accession sociale. La viande, à cette époque, était effectivement et bien relativement moins toxique que ce pain-là. Tout a changé depuis : les inhumains élevages en batterie ont fait de toutes chairs animales un poison encore plus grand. Notre ami le docteur Jacques Kalmar affirme, à juste titre, qu'il y a trois degrés progressifs dans l'application de l'ignominie humaine :

a) la chasse ;

b) l'élevage en batterie (où un être vivant est considéré comme mécanique productive, Dieu merci, de poisons) ;

c) la vivisection, qui justement, peu à peu, s'applique aux êtres humains qui croient pouvoir guérir dans les hôpitaux — par des moyens matériels — de troubles d'origine psychique.

Notre amie Magdalith avait raison d'affirmer :

« *Ne te leurre pas ! Une seule vocation pour l'homme : le surhumain. Car l'humain est inhumain.* »

4. L'excès du matérialisme

Aujourd'hui une montée semble s'opérer vers la lumière et les excès du matérialisme ont éveillé la conscience de bien des cultivateurs et de bien des éleveurs, et ce livre existe indirectement grâce à eux : après un jeûne on ne peut concevoir une reprise alimentaire sans aliments naturels et nous soulignons que lorsque nous parlons de produits nécessaires à notre nutrition, il s'agit toujours et uniquement d'aliments biologiques, c'est-à-dire issus de terrains n'ayant subi l'action d'aucun désherbant ou engrais chimique, cueillis ou récoltés à maturité, dépourvus de traitements par insecticides ou de conservation.

Certains arguent du prix élevé des aliments biologiques mais la plupart avancent cet argument afin de ne surtout pas changer d'habitudes : même si un produit biologique coûte deux fois plus cher qu'un produit de commerce courant, il revient deux fois moins cher car l'on consomme quatre fois moins... à condition de réapprendre à manger ! Cette discipline devient vite une manière d'être et oblige bientôt à changer sa vie et souvent même son métier. Nous avons rencontré un jour un patient qui, bien que très atteint, sut le comprendre :

— « *Si je me mets à suivre les lois de la vie que vous venez de m'énoncer, dans un an ou deux je suis parfaitement guéri ?*

— *Si telle est votre volonté.*

— *Donc je ne pourrai plus continuer à empoisonner l'humanité.*

— *Certainement pas.*

— *Tant pis. Je préfère rester pharmacien.* »

Ajoutons à sa décharge qu'il était aussi laborantin, chercheur, et que sa passion l'engageait à tenter uniquement des expériences sur lui-même.

De surcroît, n'exiger que ces produits naturels est un vote constant, un vote non lié à des intérêts politiques momentanés, mais un vote biopolitique encourageant les cultivateurs et les éleveurs non seulement à protéger notre santé mais aussi l'environnement : la flore et la faune, la terre, l'eau et l'air, et les vibrations subtiles que l'on émet dès que le monde nous intéresse plus que notre propre personne.

5. Les ondes

Les vibrations sont aussi dénommées radiations et leurs ondes se mesurent par la radiesthésie, du moins celles des produits alimentaires, classées dans la catégorie des ondes courtes :

« Au-dessous de 1,50 µ commencent les ondes courtes. Elles sont encore d'origine et d'existence en partie inconnue. Quelques savants ont réalisé en laboratoire des ondes entre 1,50 µ et 1 micron, c'est-à-dire 1 millième de millimètre.

Pratiquement des ondes décimétriques, centimétriques et millimétriques servant au Radar depuis 1942-43.

A partir du micron, nous abordons les ondes du spectre solaire dont une partie est pour nos sens, visible et l'autre invisible. Elles commencent par les invisibles (infrarouges) qui sont les plus longues. Viennent les couleurs du spectre de la lumière qui sont visibles pour nos yeux. Ce sont ensuite de nouveau les invisibles (ultraviolets). A partir de celles-ci, on trouve les rayons X, plus bas encore les ultrasons, les radiations de radium, thorium, uranium, puis c'est l'inconnu. Elles se mesurent alors en angströms (dix-millionième de millimètre).

1 mètre : 1 m .... 1 000 mm
1 micron : 1 µ - 0,001 mm .... 1/1 000ᵉ mm
1 angström : 1 A° - 0,000 001 mm...... 1/10 000 000ᵉ mm

André Simoneton ajoute :

« Nos sens sont insensibles à une infinité d'ondes. Nous percevons une marge d'ondes correspondant au son, à la lumière, aux odeurs. Si nos sens étaient impressionnés par toutes les ondes, les objets auraient des formes différentes. Par exemple à chaque extrémité d'un morceau de fer, des ondes s'échappent ; si nous voyions ces ondes, ce morceau de fer aurait pour nous une forme prolongée que nous n'imaginons pas. »

Lao-Tseu affirmait il y a 2 500 ans :

« Le sage veille avec respect sur ce qu'il ne voit ni n'entend. »

Au siècle dernier, Gérard de Nerval écrivait ces quelques vers :

« Homme ! libre penseur — te crois-tu seul pensant
Dans ce monde, où la vie éclate en toute chose :
Des forces que tu tiens ta liberté dispose,
Mais de tous tes conseils l'univers est absent.

Respecte dans la bête un esprit agissant...
Chaque fleur est une âme à la Nature éclose ;
Un mystère d'amour dans le métal repose :
Tout est sensible ; — Et tout sur ton être est puissant !

Crains dans le mur aveugle un regard qui t'épie :
A la matière même un verbe est attaché...
Ne le fais pas servir à quelque usage impie.

Souvent dans l'être obscur habite un Dieu caché ;
Et, comme un œil naissant couvert par ses paupières,
Un pur esprit s'accroît sous l'écorce des pierres. »

Pour arriver à ces perceptions au-delà des apparences, il est certain que l'émotif (comme le soulignait Tomatis) y arrive dix fois plus vite, surtout s'il s'affine par ses œuvres : geste poétique ou artistique, spiritualité et prophétie, ascèse et prière...

L'intellect qui nous fit perdre toute sensibilité réelle, toute perception supra-naturelle, qui nous rendit infirme, nous a donné par l'intermédiaire de la science de grossières béquilles : en télépathie, il n'y a jamais plusieurs abonnés sur la même ligne.

6. Les ondes visibles et invisibles

La discrimination des aliments, puis le jeûne (avec tout ce qu'il doit comporter : respiration profonde, ensoleillement ombragé, conversation, méditation, silence, etc.), nous amène à la perception des ondes visibles puis invisibles sans d'autres moyens de mesure que notre propre corps. Quand se taisent nos parasites, toutes les émissions deviennent audibles, et cette phrase de Jean de La Croix trouve en nous un écho lumineux :

« J'étais là, sans rien savoir, transcendant toute science. »

M. L. de Broglie définit bien les obstacles ondulatoires :

« Lorsqu'une onde se propage librement dans l'espace, on peut la concevoir comme une suite de vagues dont les crêtes successives sont séparées par une distance constante appelée « longueur d'ondes ». L'ensemble des vagues se propage dans la direction de propagation de l'onde, de sorte qu'en un point fixe de l'espace, les différentes vagues avec leurs crêtes et leurs creux passent l'une après l'autre régulièrement. Par définition, on appelle « fréquence de l'onde » le nombre des crêtes de l'onde qui passent en un point fixe en une seconde.

Nous nous figurons ainsi aisément comment progresse régulièrement une onde dans une région où rien ne vient entraver sa propagation. Mais les choses vont se passer tout différemment si l'onde en progressant vient se heurter à des obstacles. Alors en effet l'onde pourra être comme déformée ou repliée sur elle-même, de sorte qu'au lieu d'avoir affaire à une onde simple du type précédent, on a maintenant affaire à une superposition de telles ondes simples. L'état vibratoire résultant en chaque point dépendra alors de la façon dont les effets des diverses ondes se renforcent ou se contrarient. Si les diverses ondes simples qui se croisent en un point ajoutent leurs effets, la vibration résultante sera très intense. Si, au contraire, ces ondes se contrarient, la vibration résultante sera faible ou nulle : dans ce cas, suivant une formule célèbre, *« de la lumière ajoutée à de la lumière pourra créer l'obscurité ».*

Les ondes courtes émises par un homme en bonne santé seraient de 6 500 angströms et tout aliment rayonnant en dessous de 6 000 angströms deviendrait défavorable à son alimentation : telle est l'hypothèse posée par A. Simoneton qui classe les aliments en quatre catégories.

7. Classement des aliments selon leur force radio-vitale

a) aliments supérieurs

Pulpes des fruits frais et mûrs et leur jus — presque tous les légumes crus, ou cuits en dessous de 70° — le blé, les farineux, la farine, le pain complet, la bonne pâtisserie familiale, presque toute la bonne biscuiterie, quelques farines pour le premier âge.

b) aliments de soutien

Le vrai lait frais (après 12 heures : — 40 % de radiations, après 24 heures : — 90 %), le beurre, les œufs, le miel, le sucre, l'huile d'arachide, le vin, les légumes cuits à l'eau bouillante, le sucre de canne, les poissons de mer cuits...

c) aliments inférieurs

La viande cuite, les abats, la charcuterie, les œufs (au 15e jour), le lait bouilli, le café, le thé, le chocolat, les confitures, les fromages fermentés, le pain blanc...

d) aliments morts

Conserves, margarines, alcools (liqueurs, eaux-de-vie), sucre blanc raffiné, certaines farines alimentaires dites « premier âge »...

Dans cette classification, s'il est tenu compte de la qualité de l'aliment (lait non dénaturé, pain complet, légumes frais et biologiques...) ne sont pas signalées les déperditions radio-vitales que produisent, chez un être humain, les éliminations de déchets toxiques causées par une alimentation impropre à son espèce (viandes, poissons, aliments dénaturés...).

Il est certain que la ciguë, sur pied, doit posséder des vibrations radio-vitales aussi conséquentes que sa proche parente la carotte, mais cette richesse nous semble difficilement assimilable et nous n'en conseillons l'usage à personne sauf à celui qui, comme Socrate, tiendrait à couronner sa vie d'un dernier acte ne pouvant le mettre en contradiction avec les précédents.

Les différentes diététiques fondent leurs disciplines sur des notions séparées et souvent apparemment contradictoires : apport ou calorique ou macrobiotique ou radio-vital ou électromagnétique ou énergétique ou vitaminique ou physiologique ou régionaliste...

Après des années d'expériences, de travaux, de réflexions, il nous est apparu que chaque cas est un cas exceptionnel et que chacun doit réellement trouver son propre équilibre et ses propres règles de vie... relativement, en tenant compte d'une généralité absolue :

Une alimentation biologique essentiellement frugivore et crudivore qui tiendrait compte de l'incompatibilité de certains mélanges et aussi de la base et des tendances de chacun (de son hérédité, du climat, du lieu où il vit et de ses activités) sans omettre le principe yin-yang, éclairerait la diététique d'un jour nouveau.

Le principe yin-yang est celui qui régit la discipline diététique macrobiotique récemment importé d'Orient par M. Ohsawa. Ses règles respectables basées sur le principe femelle-mâle ou encore yin-yang (traduit en sciences occidentales par le − et le +, pôle négatif et pôle positif) préconisent une alimentation surtout à base de riz complet, de certains poissons, de légumes et de fruits le plus souvent longuement cuits ou simplement saisis afin de les yanginiser et de les rendre fastes à notre organisme. Cette thématique ainsi que la sagesse orientale et certains synchrétismes ont aujourd'hui, en nos murs, davantage de crédit que le végétarisme ou le christianisme : l'exotisme garde son charme.

8. Nos sources radio-vitales

Avant de fermer cette parenthèse et de quitter cette connaissance neuve et vibrationnelle, répétons-nous que tout organisme vivant doit offrir et aussi enrichir son capital radio-vital. Les sources aptes à l'alimenter sont :

a) contact avec le ciel (courants cosmiques) et contact avec la terre (courants telluriques) : courants néfastes s'ils sont dissociés ;
b) contact avec l'astre du jour (ondes du spectre) ;
c) contact avec les aliments vivants ;
d) contact avec des êtres qui nous sont complémentaires (l'union entre l'homme et la femme en est l'aspect le plus fondamental) ;
e) contact avec des nourritures plus subtiles : celles qui nous envahissent par la vue, l'audition ou le toucher (si certaines créations artistiques sont capables de nous couper l'appétit par leur absence d'originalité (original : ce qui remonte à l'origine, à l'harmonie), d'autres sont aptes à nous l'ôter car leurs vibrations nous ont nourri ;
f) contact que procure la guérison d'autrui lorsqu'on eut partiellement la grâce d'y présider.

Toute cellule est à la fois réceptrice et émettrice d'énergie et tout aussi bien celles qu'on nomme fastes ou néfastes, vitaminiques ou microbiennes. Il est aussi difficile de recevoir que de donner, et pour atteindre à « l'oreille absolue », capable de nous permettre la reproduction de n'importe quelle sonorité sans l'apport d'aucun diapason, il nous faut écouter le silence qui demeure l'une des vibrations les plus riches, en général, ou en particulier lorsqu'il s'intègre au recueillement ou à la prière d'avant les repas, tendres servants d'une digestion et d'une assimilation aisées.

Dé-jeuner et jeûner, comme courants continu et discontinu, s'unissant indissociablement, nous allons vous livrer maintenant une suite de réflexions sommaires, aptes à nous faire réfléchir, sur les nourritures terrestres et célestes.

9. Complémentarité du couple

On a coutume de dire des amants passionnés *« qu'ils vivent d'amour et d'eau fraîche »* : ils semblent effectivement ne se rassasier que d'eux-mêmes. C'est plus qu'un symbole : homme et femme sont deux êtres magnétiquement complémentaires et lorsqu'un enfant désire naître de leur union, il se passe chez l'un et l'autre un bouleversement chimique, physique et électromagnétique.

Le pôle dominant yang — positif — chez l'homme est ainsi représenté par les Orientaux :

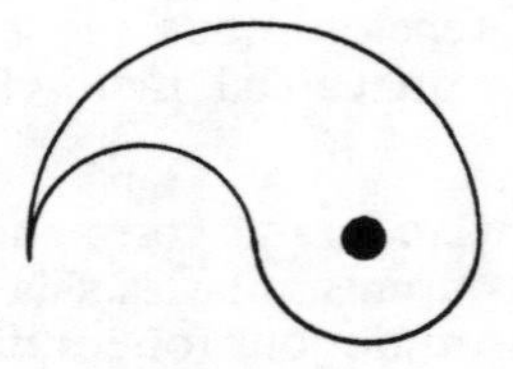

Le pôle dominant yin — négatif — chez la femme, comme ceci :

Complémentarité ou contradiction, tout ce qui vit est ainsi représenté.

Il est aisé de remarquer, à l'aide de ces deux croquis, que chacun des deux possède un peu de la dominante de l'autre, et nous osons affirmer que leur attirance mutuelle se crée à partir du reconnaissable pour l'un et l'autre : la femme est sensible à la féminité partielle de l'homme et l'homme à la partielle virilité de sa compagne. Et les voici unis, c'est le T'ai Ki — la limite — né lui-même du Ki — l'infini.

Si leur rapport n'avait pour but apparent et erroné que le rassasiement d'un désir par le plaisir et le spasme, il serait tout à fait juste que Dieu, n'étant pas en eux, se mette entre eux et toujours les sépare ; or il y a des liaisons durables : leur rareté ne peut les supprimer.

« Chercher d'abord le royaume et sa justesse et tout le reste sera donner de surcroît. » Mais ce surcroît seul nous intéresse et nous voulons le créer nous-mêmes.

10. L'amour

Notre seule préoccupation devrait être la réalisation parfaite de notre complémentarité électromagnétique et plaisir et spasme perdraient alors tout intérêt, ou seraient donnés de surcroît si l'extase qui les remplace pouvait en laisser subsister la moindre pensée.

A cette fin, et sur un plan pratique, l'homme reste le plus longtemps qu'il lui est possible (cela peut varier d'une à plusieurs heures ou à plusieurs jours) dans sa moitié, en un premier temps sans mouvements extérieurs : sa pensée concentrée sur son gland le fait alternativement grossir et dégrossir tandis que sa compagne serre puis desserre l'anneau musculaire de son vagin. En argot, cet acte est dénommé assez justement *« le casse-noisettes »*. Leur complémentarité magnétique s'accomplit alors parfaitement et ils se nourrissent de vibrations vivantes en une extase continue et divine dont le temporel est exclu ; le temporel n'est en effet que le fruit blet d'une quête d'un bien exclusivement pour soi-même, ou du moins la recherche d'une sensation qui nous semble agréable.

En un second temps, si chacun des membres du couple désire mieux nourrir l'autre, il doit s'animer extérieurement tandis que son autre conserve la plus parfaite immobilité, alangui sur le dos. Cette position et cet acte doivent être alternés pour l'un et l'autre.

N'oublions pas cependant que si la femme sort triomphante et enrichie de spasmes profonds et renouvelés ou continus, l'homme, au contraire, s'y abîme à moins que ses éjaculations ou écoulements ne soient que d'origine prostatique car s'ils sont spermatiques, il en sera infirmé : sa semence est une nourriture essentielle pour la pensée. Un prophète est chaste par évidence : sa semence, si elle s'écoulait, ne pourrait nourrir l'Amour Universel.

La pratique de la respiration maîtrisée et profonde, le calme, le souci qu'on a de l'autre, la tendresse, après plusieurs mois ou années de pratique nous permettront de dissocier, nous autres mâles, le spasme de l'éjaculation. Il suffit pour s'en rendre compte instantanément d'éjaculer sans jouir : mouvement facile à réaliser dans l'absence de tout mouvement quand la sève veut sortir. Si cela est possible, et cela l'est aisément, l'inverse nous apparaîtra préhensible et il l'est... certes, moins aisément.

Ainsi *« faire l'amour »* ou *« faire la guerre »* cesseront d'être synonymes et l'acte amoureux redeviendra ce qu'il est : aussi nutritif que les courants cosmiques ou telluriques, que l'azote de l'air, la lumière du soleil ou qu'un fruit mûr, frais et cru.

Le commerce platonique, amical, fraternel avec nos semblables a aussi des effets radio-vitaux tout à fait bénéfiques ; on peut le constater dans les échanges affectueux qui s'opèrent entre grands-parents et petits-enfants : les vieillards ont une charge magnétique moindre qui est vivifiée par celle des tout-petits, d'où souvent ce besoin de toucher, d'embrasser, d'enlacer, de câliner, quelquefois même de dormir avec l'enfant. Ce qu'on appelle *« le démon de midi »* chez les adultes vieillissants n'est que superficiellement lié à des obsessions sexuelles mais profondément à une nécessité de recharge magnétique contre des êtres plus jeunes qui en sont encore largement pourvus.

Gandhi, à un moment de sa vie, fit vœu de chasteté et sut s'y tenir mais il dormit souvent avec des jeunes filles afin de prendre des forces.

Les jeûnes longs nous rendent particulièrement sensibles à ces nourritures subtiles.

11. Cueillette et cuisine

La femme, à pôle yin, est tout à fait requise pour la culture et la cueillette des végétaux : de leur contact mutuel naît un bon équilibre. Par contre, elle doit laisser à l'homme, à pôle yang, le soin des préparations culinaires car il est apte à remagnétiser les fruits et légumes qui peu à peu s'étiolent.

Cet axiome étant exprimé, sachez toutefois qu'il vaut mieux une cuisinière aimante qu'un cuisinier distrait.

12. Soleil et vie

Tout ce qui soutient finit par faire tomber et ce ne sont ni le suspensoir, ni le soutien-gorge qui nous contrediront. Nous commettons bien des actes à l'envers et notre pratique de l'ensoleillement en est aussi un bon exemple : nous cachons à la lumière solaire qui est, après l'air, notre nourriture essentielle, la seule partie de notre corps que nous devrions lui dévoiler : notre sexe.

La vulve maintenue largement ouverte et le gland parfaitement décalotté devraient être exposés 10 mn par jour aux rayons doux d'un soleil levant ou couchant (dans les régions chaudes du globe).

L'organisme est ainsi bénéfiquement rechargé.

Par contre, il ne faut s'allonger au soleil qu'à l'ombre : on obtient ainsi un bronzage profond et tout à fait harmonieux. On ne peut rester nu au soleil que si l'on est en mouvements... qui ombrent successivement les diverses parties de notre corps.

13. Matériaux nobles et cuisson

Les aliments ne devraient jamais entrer en contact avec d'autres ustensiles que ceux fabriqués à partir des matériaux suivants : bois, verre, pyrex, porcelaine, faïence, terre cuite mate, acier inoxydable, fonte noire ou émaillée, tôle d'acier, cuivre.

Le meilleur combustible reste le bois de l'âtre de nos grands-parents. Faute de mieux le gaz permet des cuissons subtiles ; personnellement nous ne pûmes jamais réussir un plat complexe à l'aide de feux électriques.

La cocotte-minute est un instrument dangereux qu'il faut immédiatement et totalement proscrire : les cuissons se doivent d'être très lentes, à feu plus que doux.

Nous le répétons : l'essentiel dans l'aliment n'est pas la matière mais la vie que porte la matière et si cette matière a quelquefois besoin d'être cuite, comme l'amidon, pour devenir assimilable, les principes vivants (vitamines, sels minéraux, oligo-éléments...), eux, sont toujours tués par une cuisson dépassant 70°.

La marmite double, dont on retrouve aujourd'hui encore trace chez des peuplades kabyles, demeure le meilleur ustensile de cuisson.

Un Français, Mono, a inventé une marmite similaire ainsi conçue :

a) un grand fait-tout en acier émaillé avec couvercle ;

b) un ustensile plus petit, en acier vitrifié et troué régulièrement, s'emboîtant dans le fait-tout.

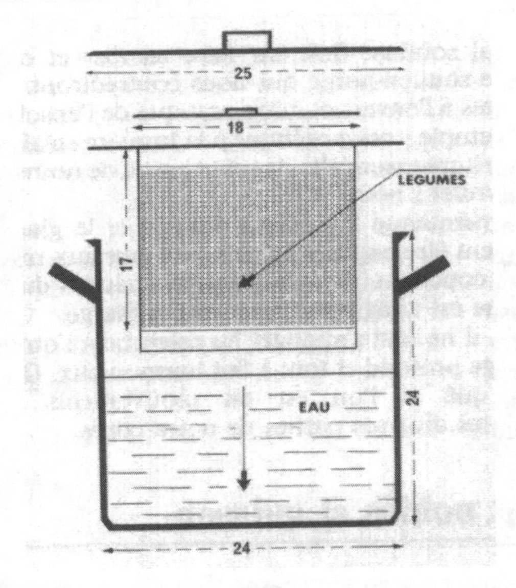

L'eau froide est versée dans le fait-tout, le second récipient est posé dans le premier après avoir été enveloppé d'un papier imperméable, préalablement humecté pour éviter des plis perméables, et empli de légumes aqueux biologiques simplement brossés et rincés (carottes, pommes de terre, navets, poireaux, oignons, salades, etc.).

Ces aliments vont s'attendrir en tiédissant à peine, à feu très doux, en rendant leur jus délicieux, sur des durées de 2 à 3 heures sans aucun contact ni avec l'eau ni avec la vapeur.

Surveiller ; garder couvert tout le temps de cuisson ; rajouter de l'eau, si nécessaire ; goûter.

La consommation d'aliments préservés par cette cuisson lente est un excellent moyen de rééducation pour ceux dont les voies digestives sont sensibles, infirmées par une malnutrition constante et qui supportent mal les crudités : il suffit de réduire peu à peu les temps de cuisson (de 3 à 2 h 30 puis 2 heures à 1 heure puis à 1/2 heure) et en quelques mois l'aliment cru est à nouveau toléré et assimilé.

Les farineux (farines complètes, pâtes complètes, riz...) sont versés dans l'eau froide d'une casserole sur un feu très doux. On couvre d'un couvercle ; on surveille, on arrête le feu dès les premiers frémissements de l'eau ; on laisse couvert et cuire dans l'eau tiède une ou plusieurs minutes : certaines pâtes — au gluten — doivent être retirées tout de suite ; le riz, ainsi que le millet, réclament une dizaine de minutes ; le sarrasin, sous forme de farine ou de grains, nécessite quelquefois plusieurs cuissons.

N.B. : Notre ami turc Abidine nous a donné un renseignement fort utile pour ceux d'entre nous appelés à voyager dans les pays orientaux ou moyen-orientaux où nous risquons d'attraper des parasites intestinaux : pour s'en tenir à l'abri, il suffit d'ébouillanter dans une passoire les fruits et légumes que l'on désire consommer crus. Renseignement que nous avons utilisé avec bonheur.

14. Les fermentations

Les légumes secs, qui sont aliments secourables en hiver, entraînent des fermentations dues à leurs composants et à leur ébouillantement prolongé ; mais leur morbidité sera aisément combattue par une demi-noix de muscade (élément particulièrement riche en radio-vitalité) à condition de ne pas la râper mais de la mâcher telle quelle consciencieusement, après que la salive l'ait attendrie.

Les fromages cuits et fermentés (camembert, livarot, brie...), les fromages puants sont moins toxiques si l'on prend soin de mastiquer une demi-cuillerée à café de grains de carvi.

15. Bases et acides

Notre nutrition nécessite bases et acides : les aliments basiques sont d'origine végétale et les aliments acides d'origine animale (le citron n'est un acide que si on ne le digère pas). Notre alimentation devrait être composée de 90 % de bases et de 10 % d'acides : or, nous faisons exactement le contraire.

16. Tendances et base

Chacun d'entre nous possède une base et deux tendances : soit physique, soit intellectuelle, soit spirituelle. A chaque base correspond une orientation alimentaire pouvant mieux la concrétiser, le propos restant toujours de développer de concert et d'unifier base et tendances. Certains d'entre nous ont trois tendances ou... trois bases : Victor Hugo, par exemple.

Selon notre activité sociale, ou privée, notre nutrition doit s'infléchir :

— les fruits favorisent la spiritualité ;
— les céréales, les travaux physiques ;
— les légumes, les fonctions intellectuelles.

17. L'élimination

La position assise que nous imposent les sièges de nos toilettes ne favorise guère l'élimination des matières fécales. La posture dite « *à la turque* », ou encore « *à cacabezon* », est la plus fonctionnelle : fesses presque sur les talons et viscères bien comprimés ; vous pouvez l'adopter même sur vos sièges modernes mais il y a un risque : la lunette peut casser et vous trancher une artère (accidents extrêmement courants dans les « chiottes » publiques, d'une saleté particulièrement repoussante, de France et d'Espagne). Nous vous conseillons de placer sur les murs, de part et d'autre de vos toilettes, deux solides poignées qui vous permettraient de vous retenir en cas de chute inopinée.

Le bain de siège froid matinal, à jeun (et en dehors des périodes menstruelles), est une bonne aide apportée à toutes nos fonctions éliminatrices ; il consiste à rester 5 mn dans l'eau à température de celle du robinet, été comme hiver, le séant et le sexe étant seuls immergés, l'eau ne dépassant pas le niveau de l'aine.

Mais nos positions trop fréquemment assises ou verticales, nos métiers trop souvent sédentaires, devraient nous contraindre à des lavements intestinaux périodiques. Jésus en dit ceci :

« Ne vous imaginez pas qu'il soit suffisant que l'ange de l'eau vous embrasse extérieurement seulement. Je vous le dis, en vérité, l'impureté intérieure est encore plus grande que l'impureté extérieure. Or, celui qui se purifie extérieurement tout en restant impur dans son intérieur, ressemble aux sépulcres qui, au-dehors, sont revêtus de peintures éclatantes mais qui, au-dedans sont remplis de toutes sortes d'abominations. Aussi, je vous le dis, en vérité, souffrez que l'ange de

l'eau vous baptise également à l'intérieur afin que vous soyez libérés de tous vos péchés passés ; dès lors, vous serez devenus intérieurement aussi pur que l'écume de la rivière qui se joue dans le rayon de soleil.

Pour ce faire, procurez-vous une grosse calebasse ayant une tige rampante de la longueur d'un homme ; videz la calebasse de son contenu et remplissez-la avec de l'eau de la rivière que le soleil a réchauffée. Suspendez la calebasse à la branche d'un arbre, agenouillez-vous sur le sol devant l'ange de l'eau et souffrez que l'extrémité de la tige de la calebasse pénètre dans votre postérieur afin que l'eau puisse s'écouler par toutes vos entrailles. Puis rester à genoux sur le sol, devant l'ange de l'eau et priez le Dieu de vie qu'il vous pardonne tous vos péchés et demandez à l'ange de l'eau de libérer votre corps de toutes ses souillures et de toutes ses maladies. Alors, laissez l'eau s'écouler de votre corps, en sorte qu'avec elle, soit éliminé de votre intérieur tout ce qui procède de Satan, tout ce qui est impur et malodorant. Et, avec vos yeux, vous verrez et avec votre nez, vous sentirez toutes les abominations et les impuretés qui salissaient le temple de votre corps... »

Il faut bien reconnaître que tout ce qui s'écoule de nous alors, si on a eu la volonté de garder longtemps l'eau, est particulièrement puant et repoussant ; on en sort allégé et purifié. Nous vous donnerons dans le corps de notre ouvrage les renseignements nombreux aptes à vous bien faire entreprendre cette opération pénible.

18. Modes d'alimentation et modes de médecine

Les naturopathes se préoccupent davantage, et à juste titre, des possibilités qu'a le malade de guérir que de la maladie elle-même, mais tous les hommes ne désirent pas l'éveil et il nous faut reconnaître qu'il existe des modes de médecine en rapport avec nos modes d'alimentation :

a) les carnivores qui absorbent des aliments à la tonne ont besoin d'une médecine au kilo : l'allopathie ;

b) les végétariens ou végétaliens, devenus plus sensibles aux vibrations subtiles, se trouvent bien grâce à l'homéopathie ;

c) les crudivores, les frugivores, qui ont la chance de vivre loin des pollutions des villes, n'ont nécessité que de petits jeûnes préventifs.

La phytothérapie et l'aromathérapie conviennent aussi bien aux carnivores qu'aux végétariens mais sont absolument déconseillées aux crudivores.

Le jeûne convient à tous mais nécessite quelquefois une préparation pour certains.

19. Végétaux cuits nocifs

Les légumes et fruits bouillis perdent toutes leurs vertus vivifiantes et deviennent inutiles mais non dangereux, exception faite pour :

a) **l'épinard** (on dit toujours « faire cuire comme les épinards ») : la cuisson rend inassimilable ses sels minéraux, dont le fer, et dégage de nocifs oxalates ; le manger en salade crue ;

b) **l'artichaut :** manger les petits artichauts tendres crus et attendrir les gros par une cuisson très lente à feu très doux (durée : 3 heures) ;

c) **la tomate ;**

d) **le chou vert** (et tous les autres : rouge, de Bruxelles et fleur) dont les qualités nutritives merveilleusement curatives et bénéfiques deviennent maléfiques par la cuisson.

20. Tableau des fruits, selon leur compatibilité digestive (1)

I **acides**	II **mi-acides**
Tomates Oranges Mandarines Pamplemousses Citrons Fraises Groseilles Framboises Ananas Pommes acides	Figues fraîches Cerises douces Abricots Mangues Prunes Pommes douces Pêches Poires

III **doux**
Figues sèches Bananes fraîches, sèches Dattes Raisins frais ou secs Pruneaux Pommes séchées Abricots séchés Kakis

1. Extrait du livre du même auteur : *Les Mains Vertes*, et reproduit avec l'aimable autorisation du Courrier du Livre.

a) Les fruits constituent à eux seuls un repas.

b) Melons et pastèques n'entrent dans aucune catégorie et ne doivent pas être mangés avec d'autres fruits.

c) On peut prendre avec les fruits de la colonne I des oléagineux (amandes, noix, noisettes, etc.) et avec ceux de la colonne III du fromage frais.

21. Tableau des autres aliments, selon leur compatibilité digestive (1)

I	II	III
Salades	**Légumes verts**	**Protides**
Chicorée	Aubergines	Viande
Cresson	Bettes	Œufs
Scarole	Brocolis	Poisson
Endives	Asperges	Fromage
Laitue	Cardons	Lait
Pissenlits	Céleri	Avocats
Cornette	Choux	Olives
Batavia	Choux de Brux.	Champignons
Mâche	Choux raves	Soja
Romaine	Concombres	Noix
	Courges	Noisettes
	Courgettes	Noix de Cajou
	Epinards	Pignons
	Fenouil	Cacahuettes
	Haricots verts	
	Oseille	
	Poivrons doux	
	Pousse de bambous	
	Radis	
	Rhubarbe	
	Poireaux	

IV	V	VI
Lipides	**Glucides ou hydrates de carbone**	
Lait	Amidons ou Farineux	Amidons légers ou petits farineux
Beurre	Pommes de terre	Choux fleurs
Crème	Riz	Betteraves
Fromages	Pâtes	Carottes
Œufs	Pain	Salsifis
Olives	Biscottes	Navets
Viande	Céréales	Artichauts
Noix	Farine	Cœurs de palmiers
Noisettes	Châtaignes	
Amandes	Potiron	
Noix de Cajou	Pois	
Cacahuettes	Lentilles	
	Haricots	
	Fèves	

1. Extrait du livre du même auteur : *Les Mains Vertes*, et reproduit avec l'aimable autorisation du Courrier du Livre.

Un repas peut être composé à discrétion des éléments de la colonne I et II auxquels on associe un seul élément de la colonne III, ou IV, ou V, ou VI.

N.B. : Ne vous privez pas cependant quelquefois d'un repas composé de mauvais mélanges si vous en éprouvez une réelle envie : il peut créer alors des actions et réactions salutaires dans notre organisme. Ne nous laissons pas atteindre par *« le fanatisme alimentaire »*.

22. Laissons la grâce à notre foie

Dans *l'Evangile de la paix*, Jésus dit encore ceci :

« Ne troublez pas l'œuvre des anges dans votre corps en faisant des repas trop fréquents. Car, je vous le dis en vérité, celui qui mange plus de deux fois par jour accomplit en lui l'œuvre de Satan. Alors les anges de Dieu abandonnent son corps et aussitôt Satan d'en prendre possession. Mangez seulement lorsque le soleil est à son point culminant dans le ciel et une seconde fois lorsqu'il est couché. Alors vous ne verrez jamais la maladie. Et si vous voulez que les anges de Dieu se réjouissent en votre corps ne prenez place qu'une fois par jour à la table de Dieu. Et alors vos jours seront prolongés sur la terre...

... Durant six jours nourrissez votre corps avec les dons de la Mère, la Terre, mais le septième jour, consacrez votre corps à votre Père céleste. En conséquence, le septième jour, vous ne devez prendre aucune nourriture terrestre, mais vivre uniquement de la Parole de Dieu. Aussi durant toute cette journée, demeurez en compagnie des anges du Seigneur... Et laissez les anges de Dieu bâtir le royaume des cieux dans votre corps, de même que durant six jours vous avez travaillé dans le royaume de la Mère, la Terre. C'est pourquoi ne permettez qu'aucune nourriture n'entrave dans votre corps l'œuvre des anges durant le septième jour... »

Si nous citons si souvent des extraits de cet *Evangile de la paix de Jésus*, c'est que dix années de recherches et d'expériences dans les arcanes d'une nutrition simple et naturelle et dans celles du jeûne n'ont fait que confirmer la justesse de ses dits, vieux aujourd'hui de deux mille ans ; nous n'y pouvons rien retrancher et si peu ajouter...

En l'occurrence, il est certain que le petit déjeuner copieux du matin (si encore nous ne prenions que des fruits !) est une aberration, surtout si nous l'imposons à nos enfants : le réveil de notre corps s'opère lentement ; laissons-le libre à ce moment de se consacrer à l'élimination des déchets de la veille, sinon quand le fera-t-il : durant les maladies que nous lui imposons et dont nous interrompons aussi le cours ?

Quant à ce repas quotidien unique, il est d'une excellente pratique qui nous mettrait à l'abri de bien des vicissitudes.

Le jeûne hebdomadaire pratiqué régulièrement renforce bien les immunités naturelles de notre organisme mais il peut être remplacé par un jeûne de dix jours renouvelé à chaque changement de saisons.

Et ces différentes manières d'aborder notre nutrition sont d'excellentes préparations à des jeûnes longs, y compris les non-mélanges ou les mono-diètes. Le corps de notre ouvrage vous en apprendra davantage que ces quelques aperçus que nous vous livrons pour exciter... votre « appétit » !

23. Sagesse d'un empereur de Chine :

Peut-on imaginer un chef d'Etat d'aujourd'hui se retirant dix jours dans une pièce obscure afin de méditer et jeûner avant de prononcer une décision importante, comme celle régissant la condamnation d'un homme ou le salut d'un peuple ?

C'est pourtant ainsi qu'agissait un grand empereur de Chine il y a quelques millénaires.

24. A propos de Gandhi :

Chacun connaît les actes personnellement désintéressés et les jeûnes politiques dont Gandhi était si généreux pour rendre à l'Inde son indépendance. Par contre, rares sont ceux qui savent que Gandhi avait dans sa vie privée une notion toute chrétienne du jeûne : quelqu'un de son entourage commettait-il une indélicatesse, une maladresse ou une action mauvaise, Gandhi jamais ne reprenait ou n'accusait ; il prenait simplement la faute de l'autre à son compte en jeûnant un ou deux ou plusieurs jours selon l'importance de l'erreur commise.

Voilà quelques réflexions pertinentes de Gandhi à propos du jeûne (1) :

« ...Le jeûne m'apparut alors comme pouvant être aussi bien une source de plaisir qu'un moyen d'ascèse. Nombre d'expériences semblables que je fis par la suite et que d'autres firent aussi, confirment cette étonnante constatation. Je voulais aguerrir mon corps mais surtout

(1) *Extraits de* Tous les hommes sont frères *(collection « Idées » : Gallimard).*

arriver à une totale ascèse du goût. C'est pourquoi je passais d'un régime à l'autre tout en réduisant la quantité. Mais le plaisir ne me lâchait pas d'une semelle. Lorsque je remplaçais une forme de régime par une autre, je trouvais l'occasion de m'en régaler encore plus... »

« L'expérience m'a appris cependant que c'était une erreur d'apprécier la valeur d'un aliment selon sa saveur. On ne doit pas manger pour le plaisir du palais mais pour garder au corps toute sa vigueur. Quand les organes des sens sont soumis aux exigences de la santé et que le corps obéit à l'âme, le désir de jouir perd son pouvoir tyrannique et nos fonctions physiologiques répondent aux intentions de la Nature. »

« On ne fera jamais assez d'expériences et de sacrifices pour atteindre ce degré de parfaite harmonie avec la Nature. Malheureusement, de nos jours, le courant va en sens contraire avec une force redoublée. On n'hésite plus à sacrifier une multitude d'autres vies pour entourer d'aises et de parures un corps qui n'est que périssable ou pour prolonger de quelques instants son existence éphémère. De cette manière, nous nous condamnons, corps et âme, à notre propre perte... »

« Pour produire un effet salutaire, les privations ne doivent pas être imposées par la volonté des autres. Nous devons nous y soumettre nous-même de plein gré... »

« Le jeûne ne peut aider à dominer le côté animal de notre nature que si on le pratique avec l'intention de se dominer soi-même. Car certains de mes amis ont effectivement remarqué qu'après avoir jeûné, leur sensualité s'en trouvait exacerbée. Il est donc parfaitement vain de vouloir jeûner si on ne s'efforce pas en même temps de parvenir à la maîtrise de soi... »

CHAPITRE IV

Quelques extraits de textes contemporains

Pour mieux « éclairer notre lanterne », nous vous proposons maintenant de méditer quelques extraits de textes contemporains.

1. Inde et sens du sacré, par Vivekananda (1)

Le premier pas est *viveka*. C'est une chose curieuse, surtout pour les Occidentaux. Cela signifie, d'après Râmânuja, « la discrimination de la nourriture ». La nourriture comprend toutes les énergies qui deviendront les forces de notre corps et de notre esprit. La nourriture a été transférée et conservée dans mon corps, et un nouveau rôle lui a été donné, mais mon corps et mon esprit n'ont rien d'essentiellement différent de la nourriture que j'ai mangée. De même que la force et la matière que nous trouvons dans le monde matériel deviennent en nous corps et esprit, de même, essentiellement, la différence entre le corps et l'esprit et la nourriture que nous absorbons, existe seulement dans la manifestation. Puisque le fait est que nous construisons l'instrument de la pensée avec les parcelles de nos aliments et que nous fabriquons la pensée elle-même avec les forces les plus subtiles contenues dans ces aliments, il s'ensuit naturellement que cette pensée et cet instrument seront modifiés par la nourriture que nous prenons. Il y a certains aliments qui produisent un certain changement dans l'esprit, nous l'observons chaque jour. Il y en a d'autres qui produisent un changement dans le corps et qui, à la longue, ont une influence énorme

1. Extrait du livre *les Yogas pratiques* (Albin Michel).

sur notre esprit. Il est très important de savoir qu'une bonne part des souffrances que nous subissons sont occasionnées par notre alimentation. Nous découvrons qu'après un repas lourd et indigeste, il est très difficile de maîtriser son esprit ; il court, court constamment. Certains aliments sont excitants ; si vous en mangez, vous constatez que vous ne pouvez pas maîtriser votre esprit. Il est évident qu'après avoir bu une grande quantité de vin ou d'autre boisson alcoolisée, l'homme voit qu'il ne peut plus maîtriser son esprit ; celui-ci lui échappe.

La nourriture est rendue impure par trois causes : a) par la nature de la nourriture elle-même, dans le cas de l'ail par exemple ; b) par le fait qu'elle provient de personnes méchantes ou maudites, et c) par des impuretés physiques telles que saleté, cheveux, etc. Les Shrutis disent : « Lorsque la nourriture est pure, l'élément *sattva* se purifie et la mémoire n'est plus vacillante. » Râmânuja a cité ce passage de la Chbândogya Upanishad.

Premièrement nous devons considérer *jâti* — la nature ou espèce des aliments. Toute nourriture excitante, la viande par exemple, devrait être évitée. On ne devrait pas en manger, car par sa nature même elle est impure. Nous ne pouvons l'obtenir qu'en ôtant la vie à un autre être. Nous en tirons du plaisir un moment et une autre créature doit cesser de vivre pour nous donner ce plaisir. En outre, nous démoralisons d'autres êtres humains. Il serait préférable que celui qui mange de la viande tuât lui-même l'animal, mais au lieu de cela, la société charge de ce métier une classe de gens, et les hait pour le travail qu'ils font. En Angleterre, aucun boucher ne peut être juré, car on le considère comme naturellement cruel. Qui le rend cruel ? La société ! Si nous ne mangions pas de bœuf et de mouton, il n'y aurait pas de bouchers. Manger de la viande n'est permis qu'aux gens faisant de très gros travaux et qui ne deviendront pas des bhaktas. Mais si vous désirez devenir bhakta, vous devez éviter toute viande ; de même pour tous les aliments excitants tels que l'oignon, l'ail et les aliments malodorants comme la choucroute. Il faut éviter tout aliment qui a passé plusieurs jours jusqu'à ce que sa nature se transforme, tout aliment dont le suc naturel s'est presque desséché, tout aliment qui sent mauvais.

L'élément suivant qu'il faut considérer à propos de la nourriture est encore plus étrange pour l'esprit occidental, c'est ce qu'on appelle : *âshraya* — la personne qui apporte les aliments. C'est une théorie hindoue assez mystérieuse. L'idée, c'est que chaque homme est entouré d'une certaine aura, et qu'un peu de son caractère, de son influence, se transmet en quelque sorte à tout ce qu'il touche. On admet que le caractère d'un homme émane de lui, comme une force physique, et tout ce qu'il touche en est influencé. A cause de cela, nous devons prendre garde à qui touche notre nourriture lors de la cuisson ; une personne méchante ou immorale ne doit pas la toucher. Celui qui désire être un bhakta ne doit pas manger avec des gens qu'il sait être très méchants, car leur infection se répandra par la nourriture.

Ensuite vient *nimitta* ou l'instrument. Dans la nourriture, il ne doit y avoir ni saleté, ni poussière. La nourriture ne doit pas être apportée du marché et placée sur la table sans avoir été lavée. Nous devons aussi prendre garde à la salive et aux autres sécrétions ; ainsi l'on ne doit jamais se toucher les lèvres avec les doigts. Les muqueuses sont la partie la plus délicate du corps et toutes les dispositions se transmettent par la salive. Pour cette raison, son contact doit être considéré non seulement comme indésirable mais comme dangereux. De plus, nous ne devons pas manger d'aliments dont une moitié a été mangée par quelqu'un d'autre.

La question de la nourriture a toujours été l'une des questions les plus vitales pour les bhaktas. En dehors des extravagances auxquelles certaines sectes de bhakti se sont portées, il y a une grande part de vérité dans cette question de nourriture. Nous devons nous souvenir que, d'après la philosophie sâmkhienne, *sattva, rajas* et *tamas,* qui à l'état d'équilibre homogène forment la *prakriti,* et qui, à l'état hétérogène et troublé, forment l'univers — sont à la fois la substance et la qualité de prakriti. Comme tels, ils sont la matière dont toute forme humaine a été façonnée ; or, la prédominance de l'élément sattva est ce qui est absolument nécessaire pour le développement spirituel. Les éléments, que nous laissons entrer par l'intermédiaire de la nourriture dans la structure de notre corps, contribuent grandement à déterminer notre constitution mentale ; la nourriture que nous prenons doit donc faire l'objet d'une attention toute particulière. Pourtant, dans cette question comme dans d'autres, on ne doit pas rendre les maîtres responsables du fanatisme dans lequel tombent invariablement les disciples.

Ce discernement de la nourriture, après tout, n'a qu'une importance secondaire. Le même passage que j'ai cité ci-dessus est expliqué différemment par Shankarâchârya dans son *bhâshya* sur les Upanishads ; Shankarâchârya donne une signification entièrement différente au mot *âhâra* qui est traduit généralement par nourriture. D'après lui : « Tout ce qui est recueilli est âhâra. La connaissance des sensations telles que le son, etc., est recueillie pour la jouissance de celui qui en jouit (moi) ; la purification de la connaissance qui s'accumule dans la perception des sens est la purification de la nourriture (âhâra). Le mot « purification de la nourriture » désigne l'acquisition de la connaissance des sensations, sans qu'interviennent les imperfections de l'attachement, de l'aversion et de la délusion ; tel est le sens. De cette façon, si une telle connaissance ou âhâra est purifiée, les éléments sattva de son possesseur — l'organe intérieur — en seront donc purifiés, et si le sattva est purifié, il en résultera un souvenir continu de l'Un Infini dont la vraie nature a été révélée par les Ecritures.

2. Ascétisme et jeûne, par Thomas Merton (2)

« Que signifie, pour nous, sacrifier nos corps à Dieu ? Les chrétiens ne se jettent pas, comme les Aztèques, dans les volcans. Quel est donc ce sacrifice ? Saint Thomas d'Aquin éclaire la théologie de saint Paul. Nous pouvons sacrifier nos corps à Dieu en acceptant le martyre. Nous pouvons aussi sacrifier nos corps à Dieu par le jeûne, l'abstinence et d'autres exercices d'ascétisme. Mais il ne nous est pas permis, par abnégation, de ruiner notre santé sans motif, ce qui rendrait incapables de faire à Dieu le sacrifice de nos corps d'une troisième manière ; par l'adoration et les bonnes œuvres. Saint Thomas discute brièvement les qualités de ce sacrifice de soi. Il insiste sur le fait qu'il doit être guidé par la foi, par une intention pure, et surtout que ce doit être une « offrande spirituelle »...

... La vraie limite de l'ascétisme, dit saint Thomas, est la charité. L'abnégation n'est le signe distinctif du chrétien que parce qu'elle est la disposition négative à cette charité par laquelle seule on connaîtra véritablement si, oui ou non, on appartient au Christ. Nous devons nous oublier parce qu'en pratique, tout amour centré sur nous-même est volé à Dieu et aux autres. L'amour ne vit que par le don, autrement il meurt... »

3. Harmonies magnétiques et activité de l'esprit, par le docteur Parvus (3)

Or, les résultats de la concentration mentale sur les processus de l'assimilation sont d'importance. D'abord, en concentrant fortement la pensée sur les aliments ingérés et sur leur digestion complète, leur incorporation à notre organisme, on obtient une assimilation beaucoup

---

2. Extrait du livre *Montée vers la Lumière* (Albin Michel).
3. Extrait du livre *Alchimie de l'Alimentation* (Ed. Trait d'Union).

plus complète, au sens fort du terme, qui veut dire « rendre similaire à », en ce sens que les groupes dynamiques incorporés seront devenus plus semblables, plus identiques aux tissus au sein desquels ils se trouvent, en même temps qu'on a une fixation maximale du Prana présent.

Cette assimilation complète est importante, car elle contribue à réaliser une harmonie supérieure entre tous les tissus et tous les véhicules organiques. Nous commençons à concevoir que tous les phénomènes vitaux sont la résultante, d'une foule de circulations, non seulement celles du sang et de la lymphe, mais encore, et peut-être surtout, de divers courants magnétiques qui, traversant les systèmes dynamique, atomique et cellulaire, réalisent en eux une certaine unité de tonus, qui constitue l'élément actif de leur cohésion et de leur faculté d'agir de concert. Il est vraisemblable que l'un des éléments essentiels des processus morbides doit consister dans une perturbation de la circulation des courants magnétiques dans les tissus des organes affectés. Au contraire, dans la parfaite santé les courants magnétiques parcourent leurs circuits avec le minimum de résistance, tout l'organisme étant ouvert, et en quelque sorte perméable à l'influx nerveux et magnétique, ce qui donne aux rares sujets vraiment bien portants qu'on peut rencontrer, leur apparence radieuse, claire et transparente.

Cette souplesse, cette harmonie magnétique des tissus résultant d'une parfaite assimilation dynamique, réalisée grâce à la concentration de la pensée sur la mastication et l'harmonisation des aliments, a deux résultats très importants.

Dans le domaine physique, elle contribue à affermir la santé en facilitant la circulation des courants nerveux et dynamiques, ce qui permet une mobilisation plus rapide et plus puissante des moyens de défense et de récupération de l'organisme. Ces moyens étant, du reste, accrus par la fixation plus grande de l'énergie ambiante ou Prana.

Si important que soit cet avantage, il l'est cependant moins que l'autre, qui est d'ordre psychologique.

Depuis fort longtemps, il a été remarqué que la plupart des esprits supérieurs : savants, sages, philosophes, saints, inspirés, avaient une vie extrêmement frugale et abstème. On croyait autrefois que cette frugalité était la conséquence de leur supériorité d'esprit, qui les amenait à mépriser, ou du moins à négliger les satisfactions matérielles des plaisirs de la table. Nos nouvelles notions sur les circulations magnétiques nous amènent à considérer l'abstinence des sages et des saints, non seulement comme un effet, mais aussi comme une cause partielle de leur sagesse.

Les hindous nous ont rendu le service de montrer que les austérités des yogis et autres aspirants à la sainteté et à l'initiation avaient, non pas le but métaphysique et transcendant de gagner des mérites hypothétiques aux yeux d'une Divinité agréablement flattée par le spectacle des tourments et des tortures que s'infligent ses fidèles pour l'amour d'elle-même, mais bien l'objet tout matériel et terre à terre de se mettre dans les meilleures conditions de réceptivité pour recueillir les inspirations et les messages d'en haut. Nous sommes à même, maintenant, de comprendre pourquoi et comment.

Nous avons vu que la restriction alimentaire permettait d'appréciables économies de forces nerveuses au cours de la digestion. Etant donné que de plus en plus nous sommes amenés à considérer la pensée, soit comme une forme supérieure d'énergie, soit comme le résultat des opérations de formes supérieures d'énergie, il est bien évident que toute économie de forces nerveuses ne peut qu'être favorable aux opérations supérieures de l'esprit. De même, la plus grande pénétrabilité des tissus aux influx nerveux résultant d'une parfaite assimilation magnétique assure d'appréciables économies de forces subtiles. Or, toute économie, tout gain de forces nerveuses est de la plus haute importance, car il est appelé à avoir une répercussion directe sur les aspects les plus élevés de la conscience. L'étude des maladies mentales nous a montré que, tandis que les facultés mentales se perfectionnaient au fur et à mesure que l'individu montait vers le zénith de son épanouissement, les facultés plus élevées s'édifiant sur le substratum des facultés précédemment acquises ; toute perturbation, toute maladie mentale s'attaquait, non pas à une faculté quelconque, mais commençait toujours par provoquer la perturbation des facultés les plus élevées et les plus subtiles, les dernières acquises et les moins solidement automatisées. On en peut conclure que toute entrave à l'exercice de la pensée, la plus faible soit-elle, et la déperdition de forces nerveuses en est une d'importance, constitue un obstacle à l'exercice des facultés les plus hautes de l'esprit. Il n'est donc pas étonnant que les facultés transcendantes, comme la clairvoyance, la prémonition, l'inspiration, l'illumination, soient de plus en plus rares dans nos pays Occidentaux, où à peu près tous les hommes sont suralimentés, puisque, comme frère Jacques l'a montré dans la préface de sa thèse sur Gleizes, la ration alimentaire du Français moyen a plus que doublé en l'espace d'un siècle.

Cela explique, en partie, que malgré l'extraordinaire enrichissement de la vie quotidienne, qui fait que l'expérience de l'homme moderne est incomparablement plus variée et plus étendue que celle de ses arrière-grands-parents, ce n'est guère que dans le domaine assez vulgaire et inférieur de l'intelligence pratique, de la débrouillardise, que nous soyons mieux doués que nos ancêtres, tandis que nous ne leur sommes en rien supérieurs dans les domaines plus élevés de la sensibilité, de l'intuition, de la gaieté spontanée, de l'enthousiasme et de la conscience morale.

D'autre part, nous entrevoyons un autre mode d'action de l'harmonisation supérieure de nos états dynamiques internes. Nous percevons de plus en plus que l'être humain, prodigieux complexus d'énergies de toutes natures, traversé de plus par des ondes provenant de tous les points de l'espace céleste, est comme un petit univers, un résumé de l'Univers extérieur, dont tous les éléments y sont représentés. Nous comprenons pleinement maintenant toute la profonde vérité de l'avis de l'Oracle de Delphes : « Connais toi toi-même, et tu connaîtras l'Univers et les Dieux », ou encore l'injonction des Occultistes : « Deviens ce que tu es, prends connaissance et possession consciente de ta vraie nature... » C'est presque un supplice de Tantale pour l'esprit, de savoir que l'organisme que nous habitons abrite à peu près tous les principes de la vie universelle, recèle une variété quasi infinie de leurs opérations et que nous participions si peu consciemment à l'accomplissement des phénomènes dont nous sommes le théâtre. Les récentes recherches des psychologues sur la nature et les propriétés de l'inconscient et du subconscient, en leur attribuant des facultés ou des possibilités quasi illimitées, tendraient à nous amener à conclure qu'il est possible que cette perméation universelle, qui fait que notre corps est traversé par des ondes magnétiques venues de tous les soleils de l'Univers, s'étende au domaine psychologique et que peut-être les régions subconscientes de notre esprit sont en communication, en communion avec toutes les réalités subconscientes, conscientes ou surconscientes du monde...

4. Nutrition, création et vertu, par le docteur Alexis Carrel

« C'est la peur, la colère, la passion de découvrir et d'oser qui, par l'intermédiaire des nerfs sympathiques, agissent sur les glandes dont les sécrétions mettent l'organisme en état d'agir, de se défendre, de fuir ou d'attaquer.

L'hypophyse, la thyroïde, les glandes sexuelles, les surrénales, rendent possibles l'amour, la haine, l'enthousiasme et la foi. C'est grâce à ces organes que les associations humaines peuvent exister. La raison seule est impuissante à unir les individus. Elle n'est capable ni d'aimer, ni d'haïr. Les vertus chrétiennes sont plus difficiles à pratiquer quand nos glandes endocrines sont déficientes. »

5. Un extrait du « sermon sur la montagne », par saint Matthieu

« ... La vie n'est-elle pas plus que la nourriture et le corps plus que le vêtement ? »

DEUXIEME PARTIE

les jeûnes

CHAPITRE V

Indications générales

1. Définition

Le jeûne est l'abstention totale d'aliments solides ou liquides autres que de l'eau pure, ou l'abstention totale de tout aliment y compris l'eau pure, sur des périodes de durée variable.

« Il y a des cas où il faut procéder avec prudence, et où une personne inexpérimentée ne devrait pas tenter de faire entreprendre un jeûne ; mais, en général, il y a rarement une contre-indication au jeûne, de même qu'il y a RAREMENT OU JAMAIS UNE CONTRE-INDICATION A UNE FORME QUELCONQUE DE REPOS (1). »

2. Court aperçu historique

Pour les Grecs, à l'époque de leur apogée, le mot barbare s'appliquait à tout le reste de l'humanité, sans exception, mais quand Socrate traite de « barbares » ceux qui font plus de deux repas par jour, la plupart d'entre eux sont aussi impliqués.

Aujourd'hui, dans les pays occidentaux, cette pratique culinaire qualifiée de gastronomique ou de barbare, selon les obédiences, a largement débordé sa place à table : petit déjeuner, casse-croûte, déjeuner, goûter, dîner, souper, en-cas... Et il paraît bien... (nous avons failli écrire naturel) normal que le jeûne pour les adeptes de la boulimie passe pour une mortification, une manifestation masochiste, et que ses

---

1. Nous ajouterons : « à une forme quelconque de repos *naturel* », car la narcose est exclue.

qualités éminemment purificatrices, tant corporelles que spirituelles, soient totalement ignorées :

Les appétits ont détrôné la faim, et les plaisirs la joie.

La vie est chose grave dans la mesure où elle demeure « à gravir » et les alpinistes savent bien le risque qu'ils encourent : s'abîmer ; d'où la légèreté et l'équilibre de leur sac.

Paradoxe sublime ! Décider d'être léger, *« bien dans sa peau »,* est considéré aujourd'hui comme tendance répressive !

La concurrence compétitive a décidé qu'il valait mieux vaincre les autres que se vaincre soi-même : on revendique des droits en oubliant que ceux-ci ne furent acquis que par des devoirs. Nous allons savoir très rapidement que ce capital longuement et durement acquis se doit de disparaître s'il n'est constamment assumé...

a) Jeûne = santé

Pour s'élever dans le contexte d'une vie quotidienne il nous faut aussi, tel un alpiniste, alléger et équilibrer notre bagage : supprimer nos besoins puis nous délester, tels les aéronautes à ballons descendants, de notre surcroît : tissus adipeux du corps, toxines du sang, souvenirs de la mémoire, en bref : de tous déchets non assimilables.

La tempérance, la tolérance, la frugalité, l'ascétisme sont les bases de toute société humaine durable car son propos dès lors devient relationnel : religieux.

Tant que nous considérerons la maladie comme un accident extérieur à notre conduite et non comme la résultante de nos erreurs et de nos manquements aux lois de la Vie, il nous sera bien malaisé de comprendre tous les bienfaits du jeûne qui semblera thérapeutique préventive ou curative réservée à des loups solitaires un peu fous ou complètement désespérés.

Le jeûne reste pourtant le fondement de la santé, soit qu'on désire ne pas la perdre, soit qu'on désire la retrouver. Dans la plupart des groupements humains anciens ou primitifs, le jeûne était un acte imposé à tous ses membres avant l'accomplissement de toute action nécessitant lucidité, calme, force, prise de conscience : on jeûnait avant les semailles, les récoltes, le mariage, les naissances, le départ pour la chasse ou la guerre, avant de rendre une sentence. Le jeûne présidait tout aussi bien à la joie qu'à la douleur, à tout événement important pouvant jalonner une vie d'homme.

b) Instinct et jeûne

Il est curieux de constater que tout animal souffrant refuse toute nourriture tant que ses symptômes morbides n'ont disparu alors que la plupart des hommes auraient plutôt tendance à nourrir leur fièvre. On en vient alors à douter de l'intelligence et à prôner l'instinct : aucune digestion n'est possible lorsque la température d'un corps dépasse d'un degré sa propre norme et un organisme peut difficilement répondre à deux agressions simultanées.

Le jeûne qui fut depuis toujours l'apanage de toute initiation religieuse a disparu tandis qu'apparaissait le relâchement des tenants desdites religions ; il reste, çà et là, entreprise purement individuelle.

c) Jeûne et religion

L'Ancien Testament mentionne des jeûnes s'étalant sur des périodes de trois, sept, vingt et un et quarante jours. L'Exode rapporte que *« Moïse fut là avec l'Eternel pendant quarante jours et quarante nuits. Il ne mangea point de pain et ne but point d'eau »*.

Les Perses, les Spartiates, les Aryens, les Aztèques, les Goths, les Celtes, les druides gaulois préconisaient et pratiquaient le jeûne.

En Egypte, les jeûnes de sept à quarante-deux jours préludaient à l'initiation aux mystères d'Isis et d'Osiris. La prêtresse de Delphes ne consultait l'oracle qu'après un jeûne de 24 heures. Bouddha eut son illumination à la suite de longs jeûnes, et les bouddhistes fervents les pratiquent toujours. Les Esséniens connaissaient bien les vertus curatives et purificatrices du jeûne et, dans les débuts du christianisme, le jeûne de quarante jours accompli par Jésus dans le désert resta longtemps un modèle de purification pour quelques adeptes.

Hippocrate, Socrate, Platon, Pythagore donnèrent l'exemple de jeûnes longs et rationnellement renouvelés.

Mahomet affirmait que le jeûne et la prière étaient les seuls moyens d'accéder à l'allégement de soi-même.

Les farouches, cruels et boulimiques conquérants normands, avant de partir en conquête, s'astreignaient au jeûne.

La plupart des « phares » du génie du christianisme faisaient du jeûne une pratique courante : Augustin, Loyola, Jean de la Croix, François d'Assise, Thomas d'Aquin, Chrysostome... et plus récemment le curé d'Ars, padre Pio et Marthe Robin, dont le cas reste absolument Gracieux puisqu'elle n'aurait rien mangé, ni bu, depuis maintenant près de 50 ans.

Aujourd'hui les Israélites pratiquants sont restés fidèles à leurs jeûnes nationaux : Purim et Jon-Kipur, et les Mahométans au Ramadan.

d) Excès chimiques et retour aux sources

En Occident, les excès d'une médecine surtout symptomatique amènent certains de ses propres tenants (Dieu merci, de plus en plus nombreux) à des thérapeutiques douces et personnalisées et le jeûne, peu à peu, retrouvera la première place qui lui est due et ce, espérons-le, avant que les famines ne nous l'imposent.

Il se produit maintenant un retour aux sources et l'on commence à prêcher l'union, premier pas, peut-être, vers l'Unité, seule solution à tout problème. Le jeûne désintéressé nous en propose une accession prompte : que nul ne l'oublie !

Se livrer au jeûne est, pour beaucoup de scientifiques, reconnaître une primauté du corps sur l'esprit et il demeure certain que si notre intellect est suicidaire, notre organisme, lui, veut à toute force subsister.

Le jeûne garde la prérogative de l'unicité où physique, mental et spirituel cessent d'être des entités séparées pour ne faire plus qu'Un avec tout l'Univers.

> *Il nous est impossible de quitter ce court aperçu historique du jeûne sans rendre hommage à ses plus fervents pratiquants et défenseurs de notre siècle : Jackson, Barbarin, Tilden, Passebecq, Carrel, Shelton, Bertholet, Guelpa, Hanish, Caillet, Carton, Pauchet, Frumusan, Möller, Weber, Riedlin, von Segesser, Ehret, Benedict, Luciani, Carlson, Dewey, Hazzard, Hollbrook, Lindner, Ducrocq, Nizet, Mosséri, Tomatis et tant d'autres venus... et à venir.*

3. Rares contre-indications pour les jeûnes longs

De même qu'on rencontre des athées profondément religieux et des prêtres peu catholiques, on peut aussi trouver d'excellents médecins et de mauvais guérisseurs : il y a des êtres bons et éclairés dans toutes les corporations, et pas seulement là où on le croit, ou là où on ne le croit pas.

a) Se soigner ou guérir ?

Médecin vient du mot latin *medius,* milieu, donc, le médecin, comme l'ange, a le pouvoir d'être l'intermédiaire... entre l'équilibre perdu et celui à retrouver, et toute thérapeutique conseillée évangéliquement est apte, par définition étymologique, à bien nous guider. Dans la plupart des pays occidentaux, même dits démocratiques, les tenants de la médecine officielle ont des pouvoirs à peu près semblables à ceux des sorciers de tribus primaires. Il est certain que ces démonstrations de pouvoir n'ont rien à faire avec la puissance et encore moins avec la gloire, car ces médicaments, outre qu'ils créent une industrie extrêmement prospère, sont tout à fait capables d'assurer une excellente mise en condition, où le paternalisme conserve tous ses droits ; mais le paternalisme ne pourrait s'imposer si l'infantilisme ne le réclamait : si les patients cessaient d'être impatients, ils trouveraient des modes de médecine, non qui soignent, mais qui guérissent. Mais qui a le courage de renoncer à ses malaises, intrinsèques composants de notre sacro-sainte personnalité ? L'exercice de la médecine est libre en Angleterre et dans le canton suisse d'Appenzel, où prolifèrent des cliniques naturopathes souvent excellentes (lavements, jeûnes, végétarismes, hydrothérapie, musicothérapie...).

Le jeûne va à l'encontre des disciplines de la médecine officielle et les médecins le pratiquant et le faisant pratiquer ont bien des difficultés à imposer la simplicité de leur vue. Bien souvent, ils se servent eux-mêmes de cobayes mais, ne possédant pas toutes les maladies, il leur est souvent difficile, voire même impossible, de tenter sur leurs patients les bien-fondés de leur croyance par crainte des représailles de leur « corps médical ». Imaginez les conséquences qu'aurait pour eux un jeûne de vingt-huit jours, non couronné de succès, dans le cas d'un patient leucémique à qui on reconnaît six mois à vivre avec les traitements actuellement à la mode ?

Des succès répétés entraîneraient, sans doute, des persécutions encore bien pires !

Et les guérisons enregistrées restent donc le résultat de l'initiative des patients eux-mêmes : Monique Couderc, Margot Pascard...

Le jeûne, de la part de celui qui le fait pratiquer, réclame beaucoup d'attention, beaucoup d'amour et la connaissance des lois physiologiques et psychiques régissant l'organisme ; il réclame donc beaucoup de temps et d'humilité : il faut être prêt à reconnaître que notre corps est plus intelligent que tout notre « croire-savoir ».

Pour ceux qui négligent ou contestent le jeûne ce dernier comporte beaucoup de contre-indications ou rien que des contre-indications. Pour ceux qui l'ont expérimenté et fait expérimenté, il n'y en a pratiquement aucune.

b) La peur du jeûne

UNE SEULE EST TOUT A FAIT REDHIBITOIRE ET ELLE VIENT DU PATIENT LUI-MEME : ELLE EST CAUSEE PAR LA PEUR OU L'INCROYANCE.

Peur d'une aventure en terre inconnue et incroyance en les vertus d'un tel voyage qui contredit tout ce qu'on lui avait enseigné jusqu'alors.

Peut-être craint-il aussi inconsciemment de se quitter lui-même, de perdre sa personnalité, de trouver l'originalité et d'être amené par la suite à transformer totalement sa vie, à quitter l'infantilisme pour déboucher sur la dure responsabilité ?

Pour qu'un jeûne soit réellement bénéfique il faut non seulement le désirer mais aussi y croire ; on ne trompe plus là ses appétits et l'autophagie est ressentie dans toute sa plénitude ; les ondes produites par notre cerveau peuvent se révéler plus dangereuses que l'absorption d'un poison.

Cette restriction n'est faite que pour les jeûnes longs ; les jeûnes très courts ou courts, sur lesquels nous reviendrons plus en détails, sont toujours un excellent repos organique pouvant se pratiquer sans aucun danger.

c) Maladies délicates et paliers vers le jeûne

Les jeûnes sont tout à fait inopérants sur les patients atteints de tuberculose ou de cancers dans leur dernier stade et de cancers déjà traités par rayonnement : le docteur Shelton souligne qu'ils peuvent simplement atténuer la souffrance et prolonger la vie de quelques jours.

Dans les cas d'INSUFFISANCES CARDIAQUES, INSUFFISANCES RESPIRATOIRES, PARESSES RENALES, MALADIES DE CARENCES, MAIGREURS EXTREMES, ANEMIES PERNICIEUSES, comme dans ceux de PEUR ou d'INCROYANCE, il est absolument nécessaire de procéder par paliers (régimes dissociés, élimination d'un repas ou deux, crudivorisme, frugivorisme, etc.) et d'accomplir les jeûnes longs, dont la durée aura l'accord des malades, sous surveillance savante, constante et compétente, quitte à les interrompre si l'état du malade le nécessite réellement.

4. Toxicomanies et jeûnes longs

L'alcoolisme, le tabagisme, l'opiomanie, la cocaïnomanie, la chloralomanie, la morphinomanie, etc., ou en bref toutes les toxicomanies graves et reconnues comme telles, trouvent dans les jeûnes longs leur meilleure voie de disparition.

a) Arrêt brutal ou sevrage ?

Il vaut mieux dans tous les cas d'intoxications, sauf ceux véritablement trop avancés, interrompre brusquement l'usage de la drogue, qu'en diminuer progressivement les doses :

La souffrance du sujet sera plus vive les quatre ou cinq premiers jours mais son organisme trouvera beaucoup plus vite l'équilibre et le renouvellement de toutes les cellules lésées.

Si le système nerveux du sujet est très touché l'arrêt brutal de l'opium ou de l'alcool risque d'entraîner crises de folie ou de *delirium tremens*. Lors de ces crises, il vaut mieux maintenir le patient, en le liant au besoin, dans un bain d'eau tiède pendant 2 à 3 heures, une compresse froide sur la tête, jusqu'à ce que le calme revienne, plutôt que de lui redonner une dose de la drogue incriminée ; ces toxicoses très avancées nécessitent donc des lieux et un personnel hospitalier dirigés par un thérapeute expérimenté et attentif.

Les toxicomanies graves mais non reconnues comme telles : **caféisme (café, thé, chocolat, cacao), ou carnivorisme (viandes, poissons) disparaissent sans guère d'accident si ce n'est grande irritabilité et agressivité chez le sujet traité.**

b) Reprise alimentaire

La durée des jeûnes dépend de l'état de lésion des toxicomanes : d'une manière générale, la reprise alimentaire peut avoir lieu dès que la drogue, non seulement ne tente plus le patient, mais le dégoûte profondément, du moins la pensée qu'il peut en avoir.

Le temps de reprise alimentaire dans les cas de toxicomanies graves devrait être absolument le double de celui du jeûne proprement dit : afin que le patient retrouve lentement de nouvelles habitudes alimentaires qui continueront à consolider les bienfaits de la rénovation du jeûne, et ce sous une surveillance qui l'empêchera de retomber dans son ancien travers, ou dans d'autres de remplacement : ses cellules peuvent être toutes purifiées mais non encore sa mémoire ; très souvent les alcooliques désintoxiqués deviennent des fumeurs invétérés et souvent les anciens carnivores se rabattent sur des fromages puants, qui réclament l'accompagnement abondant de vin.

5. Jeûne, inanition et famines

a) Mort, étiolement

— *« Si je reste une journée sans manger, je tourne de l'œil car je meurs littéralement de faim »,* est une réflexion habituelle de tous ceux qui redoutent le jeûne. Ils confondent faim d'habitudes et vraie faim, et ignorent qu'effectivement, à cause d'automatismes que nous avons imposés à notre physiologie, les premiers jours de jeûne sont les seuls à être pénibles.

La peur la plus grande qui nous habite étant bien celle de la vie et non celle de la mort (phénomène parfaitement abstrait puisqu'il semble être l'absence totale de sensations), la revie que peut procurer le jeûne long est très redoutée des « morts-vivants », sauf s'ils sont acculés...

La mort devrait être synonyme d'étiolement, c'est-à-dire de fin de l'épanouissement, et considérée avec tendresse et reconnaissance comme le repos mérité d'une vie où toutes nos facultés se seraient épanouies pour le plus grand épanouissement de celles de chacun. Mais la plupart, remettant toujours au lendemain l'effort qu'il faut accomplir pour restituer les dons gracieux du Ciel, redoutent non pas l'instant dit fatal mais ce qu'il comporte : le « trop tard » pour accoucher encore de sa propre vie.

On a vu effectivement des hommes mourir de faim après 3 ou 4 jours mais l'inanition n'existait que dans leur esprit et ils furent tués par la peur de la faim, ou la faim de la peur, et non par la faim elle-même.

b) Vie, épanouissement

Par contre d'autres jeûnèrent pendant des semaines, voire même des mois, en se portant comme des charmes. Nous retrouvons ici l'importance de la mise en ondes que crée le psychisme ! Un sujet privé de nourritures contre sa volonté durant quelques jours est prêt à assassiner pour se substanter, et un autre, ou le même, peut, pendant plusieurs semaines, dans l'euphorie et la joie, nourrir chacun sans jamais éprouver aucun appétit pour lui-même, dans l'accomplissement d'un jeûne volontaire !

Carrington disait : *« Le jeûne est une méthode scientifique pour débarrasser le système des tissus malades et des matières pathologiques, et il s'accompagne invariablement de résultats bienfaisants. L'inanition prive les tissus de la nourriture qui leur est nécessaire, et entraîne invariablement des conséquences désastreuses. Tout le secret réside en ces mots : LE JEUNE COMMENCE AVEC L'OMISSION DU PREMIER REPAS ET FINIT AVEC LE RETOUR DE LA FAIM NATURELLE, TANDIS QUE L'INANITION COMMENCE SEULEMENT AVEC LE RETOUR DE LA FAIM NATURELLE ET SE TERMINE PAR LA MORT. OU L'UN FINIT, L'AUTRE COMMENCE. Alors que ce dernier processus consomme les tissus sains, amaigrit le corps et épuise la vitalité, le premier processus expulse seulement les matières corrom-*

pues et les tissus adipeux inutiles, augmentant ainsi l'énergie, et rendant définitivement à l'organisme cette harmonie que nous appelons la santé. »

En résumé : à moins que notre psychisme ne nous abuse, l'inanition ne commence que lorsque toutes les réserves nutritives du corps ont été épuisées, lorsqu'il est réduit à l'état de squelette, peau et viscères.

Inanition est donc synonyme de mort, et jeûne de vie, et si nous nous exercions régulièrement à jeûner nous conserverions notre santé et éviterions l'épuisement des réserves de notre planète et la condamnation à la famine de nos frères du tiers monde... et peut-être bientôt la nôtre, juste retour des choses.

A ce propos n'oublions pas que les végétaux sauvages nutritifs sont de 50 à 150 % plus riches en protéines, vitamines et sels minéraux que les végétaux potagers et, si quelques cataclysmes planétaires survenaient, il deviendrait bon de les connaître, de les respecter et de pouvoir les assimiler.

6. Hibernation et estivation

Beaucoup d'animaux et de plantes sauvages sont contraints périodiquement par les lois naturelles à des états de vie au ralenti, lors des moments de grande chaleur et de sécheresse, et c'est l'estivation, ou des moments de froidure, et c'est l'hibernation.

Les plantes subsistent grâce aux réserves contenues dans leurs racines et les animaux grâce à celles contenues dans leurs propres tissus en y adjoignant quelquefois, comme l'écureuil, quelque aliment de soutien amassé pendant les beaux jours.

On constate chez eux, durant ces périodes, un ralentissement très grand de leur respiration, de leur circulation, de leurs échanges organiques et certains semblent même s'être endormis pour toujours : il est difficile de différencier une chauve-souris hibernante d'une chauve-souris morte.

Chez les hommes, les Esquimaux, certains paysans russes, afin d'affronter avec bonheur les rigueurs et les disettes de saisons très froides, cousent des fourrures autour de leurs corps ou s'entassent autour d'un feu, n'ouvrant qu'un œil et la bouche de temps à autre pour mastiquer quelques bouchées de nourriture, posée à portée de leurs mains, à côté de quelques bûches pour pouvoir entretenir le foyer ; leurs « besoins naturels », assez rares, s'écoulent sans qu'ils bougent par des ouvertures ménagées à cet effet dans leurs accoutrements.

L'imposition du jeûne, ou d'une diète, est certes différenciée pour les plantes, les insectes, les animaux et les hommes par quelques nuances, mais il est certain que la survie qu'ils assurent est intrinsèquement liée à la vie même.

7. Les stylites

Pour quelqu'un s'étant déjà appendu à des ascèses alimentaires, il paraît plus compréhensible qu'on puisse vivre sans rien absorber que de pouvoir subsister en avalant des aliments morts, inaptes à nourrir essentiellement, car si dans les deux cas le sujet reste lié à l'autophagie, dans le premier le lourd et coûteux travail de l'élimination lui est au moins évité.

Par la maîtrise de son souffle, un homme peut se mettre à volonté en un état semblable à celui de l'hibernation : certains yogis l'ont plusieurs fois démontré, et si la réduction de leur consommation d'oxygène à 5 % de leur consommation normale peut réduire d'autant leurs échanges organiques, leurs besoins nutritifs devraient être diminués également. Alors l'existence des stylites, immobiles en haut de leur colonne, cesse d'être un mythe.

Si l'homme n'enfreignait les lois de la vie, sa longévité devrait être aujourd'hui de 150 ans, sans que sa vieillesse soit synonyme de décrépitude et de gâtisme. Pour certains, un homme faisant taire tous ses appétits pourrait doubler ce temps : 300 ans est justement le temps de vie attribué aux stylites. L'immobilité la plus grande, le ralentissement du rythme respiratoire seraient-ils capables de réduire presque à néant nos nécessités nutritionnelles et de faire qu'on puisse seulement subsister grâce aux nourritures subtiles que profusent l'air et la lumière ?

Des textes tibétains rapportent l'existence de moines toujours immobiles, assis dans la position du lotus, et dont l'unique fonction aurait été d'assumer, par leur être devenu de pures antennes, le passage de tous les courants de l'univers afin de contrebalancer la disharmonie que crée la plus grande partie de l'humanité.

La tradition catholique relate longuement la vie de Siméon le Stylite, né en Syrie au VIe siècle de notre ère, qui mourut au sommet d'une colonne érigée 40 ans plus tôt par ses mains et dont jamais il ne descendit et où jamais personne, durant sa vie, ne monta.

8. Les animaux souffrants et le jeûne

Ceux qui eurent la prérogative de vivre un certain temps en contact avec la nature savent bien qu'un animal sauvage ou domestique, dès qu'il est blessé ou malade, s'abstient de toute nourriture solide durant toute la durée de ses troubles ; il recherche toujours un lieu où nul ne pourra le déranger et situé à proximité d'un point d'eau où il se désaltérera de temps à autre. Les paysans disent : *« Il laisse faire la Nature »,* thérapeutique qu'eux-mêmes pratiquaient couramment il y a encore un demi-siècle avant que la chimie ne pollue l'air, l'eau, la terre, les aliments et nos propres organismes. A ce moment, le repos et le jeûne remplaçaient avantageusement l'allopathie, et il se trouvait toujours dans un village quelque vieille campagnarde connaissant les vertus des plantes, ou quelque innocent apte à l'imposition des mains et à la réduction des fractures.

9. Le jeûne, l'enfant et le vieillard

Le jeûne est un repos organique total qui a la meilleure influence sur la croissance et la régénération, donc tout particulièrement indiqué aux enfants et aux personnes âgées, préventivement ou curativement. Son action est surtout rapide dans les maladies des voies respiratoires car les tissus pulmonaires ont une possibilité de régénérescence très intense ; on l'a constaté lors de jeûnes accomplis par les tuberculeux.

a) Bébés et jeûne

L'un des premiers symptômes de toutes les maladies, sauf la boulimie, étant la perte de l'appétit, il semble raisonnable de ne rien manger tant que ce dit appétit n'est pas revenu. Le docteur Shelton écrit ceci :

« Les bébés peuvent jeûner plusieurs jours sans que cela leur fasse du mal. Ils perdent du poids et le regagnent tout aussitôt. Il est rare qu'il leur soit nécessaire de jeûner aussi longtemps qu'un adulte. Je n'ai jamais hésité à permettre à un bébé malade de jeûner, et il me reste encore à en voir un à qui un jeûne ait nui... Les complications relèvent presque exclusivement de la nourriture et des médicaments... Si le jeûne est entrepris tout au début de la coqueluche, il est possible que l'enfant ne tousse pas du tout. Les vomissements ne se produisent pas en cas de coqueluche si on n'alimente pas le malade. La scarlatine passe en 4 ou 5 jours et il n'y a pas de complications. Les oreillons, la

pneumonie, la diphtérie, la petite vérole, etc., disparaissent en peu de temps, si l'on ne donne aucune nourriture. J'ai fait jeûner de nombreux enfants et des bébés dans des cas aigus et chroniques (pas de nourrissons dans des cas chroniques), et grâce à mon observation personnelle, je sais qu'ils supportent bien le jeûne, faisant souvent moins de manières que les adultes. Tous les partisans du jeûne ont remarqué que pour une même maladie les enfants n'ont pas besoin d'un jeûne aussi long que les adultes. Etant jeunes, leur pouvoir de récupération est plus grand, ils sont moins intoxiqués, et leurs organes sont en général moins endommagés. »

b) Suralimentation meurtrière

L'alimentation ou la suralimentation en cas de faiblesse ou de maladie, toujours accompagnées d'inappétence, sont une pratique monstrueuse, et le jeûne loin de freiner la croissance l'accélère dès la reprise alimentaire.

Les parents non avertis éprouvent pour leurs enfants la même terreur devant le jeûne que devant une alimentation non carnée. Les enfants qui refusent instinctivement toute alimentation dès qu'ils sont vraiment malades rechignent de même, presque toujours, devant la viande ou le poisson qu'on les oblige à avaler, du moins tant qu'ils ne sont pas eux-mêmes atteints de carnivorisme. S'il est des êtres qu'il faut surtout laisser végétariens et laisser jeûner, ce sont bien les enfants !

Il existe à Paris un magasin dont le nom peut faire réfléchir : *« L'aliment normal »* ! *« Magasins de régime »,* lit-on, par contre, sur les boutiques assurant aussi l'écoulement de produits naturels. Quelle confusion ! Ce terme « de régime » ne devrait-il pas plutôt s'appliquer à toutes les échoppes de commerce courant : boucheries, charcuteries, épiceries emplies toutes de produits tout à fait morts, dénaturés ou chimiqués ?

c) Croissance et régénération

Quant aux vieillards dont les fonctions au ralenti nécessitent beaucoup moins d'énergie le jeûne leur convient tout à fait, à condition d'être prudent : des jeûnes trop longs risquent chez certains individus de faire apparaître des troubles jusqu'alors cachés et dont la violence peut leur être néfaste. A un praticien éclairé de trancher ! Plusieurs jeûnes courts ou moyens sont, en ces cas, quelquefois adoptés.

Et si le jeûne fait grandir plus harmonieusement les enfants en leur donnant teint clair et œil vif, il a aussi la prérogative de rajeunir les grands-parents.

Nous terminerons ce paragraphe par un sourire édenté et joyeux :
Lors d'une réunion de culture biologique nous eûmes l'occasion de voir arriver un tracteur agricole tonitruant, conduit par un jeune homme de 76 ans qui venait de se découvrir une vocation paysanne après avoir fait plusieurs jeûnes et s'être adonné au crudivorisme ; il nous exhiba fièrement les trois dents qui lui restaient :

« Non seulement je ne les ai pas perdues mais elles ne branlent plus et regardez : la pulpe repousse. »

Effectivement : l'émail n'avait certes pas repoussé mais la pulpe dentaire emplissait la place laissée par l'ivoire.

10. La femme enceinte et le jeûne

Sauf pour les jeûnes longs — à pratiquer bien avant la conception — il n'y a pas plus de contre-indications au jeûne pour une femme enceinte que pour quiconque. Ce qui favorise l'épanouissement de la mère favorise celui de l'enfant qu'elle porte, et une pureté de tout son être fera la pureté de l'enfant. S'il y avait maladie durant la gestation, des jeûnes curatifs remplaceront bénéfiquement les médicaments et la suralimentation. Il faut néanmoins agir sur conseils d'un bon praticien naturopathe.

Cette thématique reste valable durant l'allaitement surtout si l'on a décidé de nourrir l'enfant au sein durant les deux années qu'impose l'ordre de la Nature.

N.B. : Signalons que toute femme désireuse de porter un enfant devrait renoncer à l'alcool, au tabac, aux nourritures carnées, aux aliments non biologiques, avant la conception.

11. Le futur père et le jeûne

Toutes les recommandations pré-conceptionnelles qui précèdent sont aussi nécessités impérieuses pour tout homme désireux de déposer sa graine, et ce n'est pas Jean Rostand qui nous contredira : l'illustre professeur souligne en effet qu'un homme, qui serait pur de tout atavisme éthylique et n'aurait bu antérieurement, de sa vie, aucune goutte d'alcool peut, s'il conçoit en état d'ivresse, transmettre à son enfant des tares alcooliques.

12. Les jeûnes idéologiques

Les jeûnes idéologiques sont aussi nommés *« jeûnes à chantage »*, car, quelle que soit la noblesse de leur but, le jeûneur affirme : *« si vous ne faites pas ce que je vous demande, je me laisse mourir »*.

Pour que cette action obtienne un résultat, il faut que l'opinion publique soit alertée de telle sorte qu'elle influe sur la décision de l'homme, ou du groupe, interpellé par le jeûneur. Récemment, les plus célèbres de ces jeûnes furent ceux entrepris par Gandhi pour la libération de l'Inde (la pression s'exerçant alors sur le gouvernement anglais), mais Gandhi fit aussi des jeûnes religieux destinés à purifier son pays de ses péchés.

On a jeûné idéologiquement pour sauver des vies de condamnés, pour la réforme d'une loi, pour l'amélioration de conditions de vie, etc. Ces jeûnes sont dénommés, à juste titre, *« grèves de la faim »*.

Il y a une décennie notre ami Georges Krassowsky fit un jeûne « public », sous le contrôle médical du docteur de Tymowski, afin d'obtenir du gouvernement du Canada une révision de la loi autorisant l'assassinat des mères et bébés phoques ; ayant obtenu un amendement de ladite loi au bout de quarante-trois jours, il cessa son jeûne et par la suite ne s'en porta qu'aussi bien : Krassowsky est végétarien depuis longue date et le jeûne lui est pratique courante, ce qui ne diminue en rien la valeur de son geste.

Il y a une quinzaine d'années un dit anarchiste (dont nous avons, hélas ! oublié le nom), ancien compagnon d'armes du général de Gaulle, obtint de ce dernier la reconnaissance légale de l'objection de conscience, et ce après un jeûne de quelques semaines puis il mourut : il séjournait à l'hôpital depuis déjà longtemps et était lui-même au courant de sa fin prochaine. Que voilà une belle façon d'occuper ses derniers instants : grâce à lui aujourd'hui, en France, refuser de vouloir tuer n'est plus considéré comme un crime !

En 1920, à Cork en Irlande, un événement devait remuer la presse internationale :

Plusieurs prisonniers politiques firent un jeûne collectif dont deux moururent : Joseph Murphy au soixante-huitième jour et Mac Swiney au soixante-quatorzième.

Les jeûnes idéologiques sont de mauvaises références scientifiques car ils sont, en général, accomplis dans de mauvaises conditions matérielles (lieux), morales (isolement) et psychologiques (chantage).

Nous ne pouvons passer sous silence ce que l'histoire a nommé le *« suicide cathare »* :

Au XIIIe siècle en Italie et dans le sud de la France s'affirme un nouveau culte dit « des Albigeois » ou « des Cathares » ; la rigueur de leur vie et de leur religion, leur souveraine honnêteté, leur total mépris des biens matériels, leurs sermons dénonçant les abus de l'époque et l'immoralité de la plupart des clercs, les mettent très vite en butte aux persécutions religieuses et on les extermine systématiquement par l'épée ou le feu ; mais quelques familles obtiennent de mourir selon leurs vœux : hommes, femmes et enfants s'asseyent sur le sol, en tailleur, et attendent patiemment sans plus bouger, exposés en place publique, que leur vienne la mort par inanition : ils ne croyaient qu'à l'intemporel et démontraient ainsi le peu d'attachement qu'il faut avoir pour les apparences et pour son propre corps qui n'est jamais qu'une enveloppe. Leur souffrance durait moins longtemps qu'on peut le croire : ils avaient le pouvoir de se déconnecter.

A ce propos, un ami nous raconta deux anecdotes complémentaires sur la force de l'esprit : dans un camp de la mort, il connut un homme qui, après trois mois de séjour, en état d'inanition, atteint d'une broncho-pneumonie, fut jeté agonisant sur un tas de cadavres, puis d'autres furent entassés sur lui ; la température était de - 20 degrés et l'homme survécut : *« je ne voulais pas mourir »,* avait-il coutume de dire en guise d'explication. Un autre par contre mourut le lendemain de son arrivée ; il était donc encore en parfaite forme physique mais ayant pu apprécier en un clin d'œil toutes les abominations pratiquées en ce lieu, il dit simplement : *« si cela peut exister, je ne veux pas de la vie »* ; il s'allongea sur son grabat et s'éteignit les yeux ouverts dans les deux heures qui suivirent. *« On aurait dit qu'il avait coupé le courant »,* ajoutait notre narrateur.

13. Les jeûnes préventifs

On nomme jeûnes préventifs ceux que l'on accomplit sans y être contraint par les maladies, les blessures physiques ou morales, ou les famines. On les pratique afin de procurer un repos complet à l'organisme (tant sur un plan physique que mental) apte à renforcer ses énergies vitales, à conserver ses immunités naturelles, ou bien encore, parce qu'on n'éprouve pas l'envie de manger.

Leur durée est plus ou moins longue et leur fréquence plus ou moins régulière :

qui, jeûnent dix jours de suite, quatre fois par an, à chaque changement de saisons ;

qui, un jour par semaine ;

qui, une fois par jour car n'absorbant qu'un seul repas ;
d'autres choisissent pour cela le laps de temps que leur laisse leurs activités sociales ;
d'autres encore font un jeûne de vingt et un ou vingt-huit jours tous les trois ans, etc.

La longueur et le choix du moment sont l'affaire du jugement raisonnable de chacun et souvent aussi dépendent des possibilités matérielles car si l'on peut jeûner quelque temps en continuant d'assumer normalement un travail, il ne faut pas oublier que le jeûne n'est pas seulement digestif mais se doit d'être aussi mental, auditif, visuel, tactile, sexuel... et que le rythme et les conditions de vie moderne n'y sont guère favorables.

14. Les jeûnes curatifs

Les jeûnes curatifs sont ceux que l'on accomplit afin de guérir d'une maladie aiguë ou de faire disparaître les manifestations d'une maladie chronique. Ils sont provoqués par un jugement sain ou des conseils éclairés : la maladie n'est pas un accident mais une échéance que nous devons payer à cause de nos ignorances et de nos excès ; elle est bénéfique dans la mesure où l'on n'interrompt pas son cours en faisant appel à des remèdes symptomatiques ; elle est au service du patient s'il laisse, en jeûnant, liberté à son organisme pour se servir d'elle comme moyen d'épuration.

a) Jeûne et maladies aiguës

Le jeûne que l'on fait dès les premières atteintes d'une maladie n'est évidemment pas dicté par un choix délibéré mais par une nécessité : la maladie s'occupe de vous, il faut laisser notre corps s'occuper d'elle. Un jeûne préventif nous l'aurait sans doute évitée car on ne peut tomber malade que si on l'est déjà : pour qu'un microbe, un virus puissent s'implanter dans un organisme, il a bien fallu que ses immunités naturelles soient en défaut.

La maladie aiguë nécessite immédiatement et uniquement repos, chaleur et tendresse. L'eau chaude ou tiède doit être alors notre seul aliment jusqu'à la disparition de la fièvre et des symptômes. *« Nourrir la fièvre »* est une expression tout à fait juste mais tout à l'inverse du sens qu'on lui accorde : aucune nourriture ne pouvant être digérée, le profit n'en va qu'à la fièvre qui augmente devant cette seconde agression. Le corps a suspendu toute fonction digestive pour mobiliser toutes ses forces contre la maladie, d'où le manque d'appétit de tout malade. Le nourrir pour supprimer sa faiblesse ne fait que l'intensifier : il retrouvera ses forces si on lui en laisse. Son organisme a autre chose à faire que de prendre aussi en charge de nouveaux déchets que sont les aliments inassimilables !

Sans ferments et sucs digestifs il n'y a pas d'assimilation possible, et, au-dessus de 38° de température, ils sont parfaitement inopérants. Et surtout ne pas faire tomber la fièvre qui n'est que l'indice de résistance du corps face à la maladie ; avoir peu de fièvre dans une grave affection est un symptôme alarmant. Et c'est là que nous pouvons constater que la maladie est réellement au service du patient : la fièvre a le pouvoir de brûler les toxines et, si l'on jeûne durant cet état de crise, on se sent toujours mieux après qu'avant : l'organisme est épuré.

Le malade retrouvera une alimentation normale petit à petit dès que l'appétit lui revient : à la disparition de la fièvre et des symptômes douloureux ; mais soyons attentifs : l'appétit pouvant survenir pendant la crise n'est pas la vraie faim : c'est une impression causée par l'inflammation.

La durée des jeûnes pour les maladies aiguës sera donc fonction de la durée de la maladie elle-même.

L'inappétence n'est pas que la compagne des maladies mais aussi celle des blessures, des plaies, des fractures, du chagrin, de la joie, de la colère, de la fatigue, de l'agitation, de tout état ou action mobilisant toutes les énergies du corps et rendant donc impossible la digestion.

b) Jeûne et maladies chroniques

Les maladies chroniques sont par définition des maladies inguérissables ; elles peuvent être d'origine héréditaire, le fruit de maladies aiguës traitées symptomatiquement, ou le résultat de plusieurs échéances aiguës auxquelles on ne prit garde en conservant les mêmes habitudes ou en retombant dans les mêmes erreurs qui les causèrent.

A quoi servirait donc de traiter une maladie inguérissable ?

On peut soulager les douleurs qu'elle provoque mais encore faut-il prendre bien garde que les produits permettant son soulagement momentané n'accentuent par la suite ses manifestations douloureuses en en ajoutant quelquefois d'autres (comme l'aspirine et l'opium, par exemple) !

Le jeûne, lui, a presque toujours la prérogative de faire disparaître les symptômes douloureux définitivement à condition que le patient garde en mémoire sa faiblesse et que tous ses actes en tiennent compte. Il est certain qu'une maladie comme la bronchite chronique, qui aurait été créée par l'abus du tabac, ne peut guérir mais jamais le malade n'en saura plus la chronicité car jamais plus n'apparaîtront les symptômes à moins qu'il ne refume, s'alcoolise, revienne à une alimentation carnée ou ne reséjourne dans l'air très pollué de certaines agglomérations.

Les durées des jeûnes pour les maladies chroniques sont variables suivant l'âge, l'état du patient et le stade du mal. Une alimentation vivante et légère, des jeûnes courts, peuvent apporter un soulagement immédiat. Les jeûnes longs peuvent être de dix, quinze, vingt et un, vingt-huit voire même quarante jours ; la décision doit en être prise par le patient lui-même d'un commun accord avec le médecin naturopathe traitant.

15. Le lavement intestinal

Cette pratique est extrêmement controversée, même par les praticiens défenseurs du jeûne :

— certains affirment qu'elle est absolument nécessaire : durant un jeûne long, les selles se font assez rares ou sont totalement absentes et cela affole le patient qui croit s'intoxiquer ;

— d'autres certifient que la désintoxication se fait alors en profondeur et que l'élimination qui a lieu par voies pulmonaires, urinaires et cutanées est amplement suffisante ; d'autre part le lavement peut irriter la muqueuse du gros intestin et affaiblir inutilement le patient ;

— d'autres encore proscrivent totalement le lavement, jeûne ou pas.

Dans notre première partie, nous avancions, en accord avec le docteur Tomatis, la proposition suivante : l'homme s'est relevé trop tôt, il devrait encore marcher à quatre pattes : ses vertèbres se tassent et ses intestins, en posture verticale ou assise, fonctionnent mal (même si son alimentation est conséquente : végétarienne, biologique, crue...), et comme ses aliments sont presque toujours impropres (morts, dénaturés, chimiqués, trop abondants...), des déchets s'accumulent dans les coudes, les replis de nos viscères, et tapissent leurs muqueuses de matières durcies qui lui ôtent sa sensibilité, ses pouvoirs d'élimination et d'assimilation.

a) Autolyse et recharge magnétique

Durant les jeûnes longs il se produit une autolyse où les toxines sont annihilées dans chaque cellule et l'élimination se fait surtout par les voies respiratoires (mauvaise haleine), les voies urinaires (urines foncées et puantes), et la voie cutanée (langue très chargée, odeur cadavérique dégagée par tout l'épiderme).

L'intense recharge énergétique qui a lieu dans tout l'organisme durant un jeûne long se doit d'être, non seulement préservée, mais sublimée et il est certain qu'un lavement provoque un choc violent, d'où une décharge importante amoindrissant le patient. C'est pourquoi nous croyons qu'il faut l'exclure du jeûne mais l'inclure dans sa première préparation plusieurs semaines auparavant. Il nous semble justifié d'aider au ramollissement des matières fécales durcies afin de permettre leur évacuation. Quiconque verra et sentira ses propres déjections comprendra que cela était nécessaire et peut-être en tirera-t-il une leçon salutaire : ne plus jamais considérer son corps comme une poubelle dans laquelle on jette n'importe quoi, n'importe comment.

Lavement donc mais lequel ? Il en existe plusieurs modes d'administration. Il est certain qu'une poire munie d'une canule de 15 cm et pouvant contenir un demi ou un litre d'eau est incapable d'assumer une action profonde.

b) Description d'un lavement profond

Voici, nous semble-t-il, la manière la plus efficace de procéder ; mais nous signalons tout d'abord à nos compagnes que l'opération doit s'effectuer en dehors de leurs périodes menstruelles.

Son premier mouvement est une première difficulté ; il faut posséder :

a) un bock émaillé d'une contenance de trois à quatre litres ;

b) une canule de 50 à 70 cm de longueur.

Le bock émaillé est devenu introuvable en pharmacie où on l'a remplacé par des bocks en matière plastique tout à fait insalubre et une canule de cette longueur n'est vendue que sur prescription médicale.

On peut encore découvrir des bocks émaillés dans le grenier de nos grands-mères, chez les brocanteurs, aux « pèlerins d'Emmaüs », ou bien encore le faire fabriquer en argile par un potier. Quant à la canule, il suffit de se faire délivrer une ordonnance par un médecin naturopathe.

La seconde difficulté n'est causée que par notre impatience et notre incapacité à la décontraction : l'opération est longue, fastidieuse, désagréable, pénible surtout les premières fois.

On emplit le bock d'eau bouillie tiède (environ 30°), on le dispose sur un chauffe-plat allumé de telle sorte que l'eau reste à température durant l'opération lente, donc longue, du moins les premières fois, afin que l'intestin puisse conserver assez longtemps cette masse liquide. On

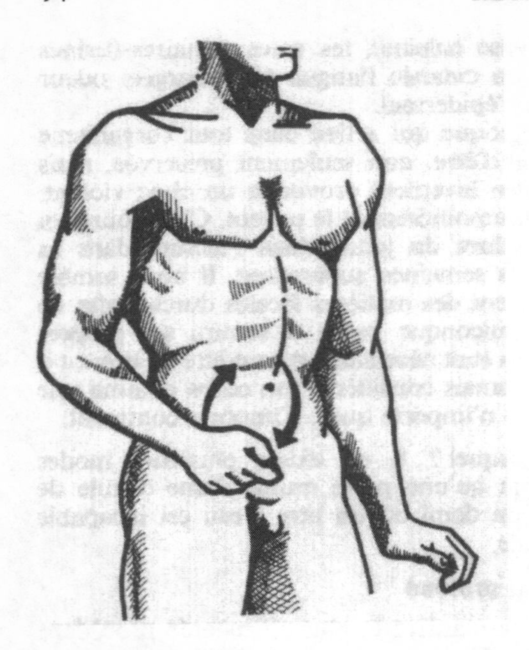

Le sens du massage durant le lavement intestinal en position couchée

dispose l'ensemble à 50 cm de soi (la distance règle la pression donc le débit). On s'allonge sur le côté gauche, jambe gauche étendue sans raideur, jambe droite ramenée vers le ventre et on introduit peu à peu et complètement la canule, enduite d'huile d'olive (première pression à froid et biologique), dans le rectum.

On ouvre alors le robinet en le réglant pour un écoulement assez lent qu'on peut réduire ou arrêter selon sa tolérance.

Pendant l'accomplissement de cette inondation, on se masse doucement l'abdomen, puis un peu plus profondément, en partant lentement de la fosse iliaque droite pour passer à la gauche avant de remonter au nombril et de revenir à son point de départ et ainsi de suite. On prend grand soin de respirer lentement et profondément en veillant à la décontraction de tout le corps. On reste ainsi aussi longtemps qu'on le peut (la première fois, on dépasse rarement le quart d'heure) ; on va ensuite aux toilettes où vont s'écouler eau et matières. Et on recommence encore deux fois de suite l'ensemble de ces opérations et ce, à jeun, trois jours de suite. Il est souhaitable de se reposer après ces trois lavements quotidiens. Ces trois jours peuvent se renouveler une ou deux fois, à une semaine d'intervalle : le critère à considérer pour l'arrêt du traitement est la propreté de l'eau du lavement malgré une stagnation de 2 heures.

Pour éviter l'irritation, on peut s'injecter, toujours par voie rectale, une cuillerée à soupe d'huile d'olive ou d'amandes douces (biologiques), ou de paraffine.

c) Conseils pratiques

Si au fur et à mesure des lavements, on a la même difficulté à garder l'eau (en dehors d'une cause due à l'absence de décontraction) c'est qu'il y a accumulation de matières très durcies ; se masser alors plus lentement et fortement. Si malgré cela la rétention ne devenait pas plus aisée, interrompre le traitement et voir un bon médecin naturopathe.

Les infusions conseillées durant ces lavements sont : ménianthe, valériane (racines), houblon, persil, en alternance ; une cuillerée à café par tasse, temps d'infusion 3 mn.

Ne jamais ajouter de savon de Marseille dans l'eau du lavement, comme on le préconisait anciennement : même le vrai savon de Marseille est maintenant chimiqué et contient de la soude caustique. Nous avons connu un patient qui s'était ainsi brûlé tout le gros intestin et qui durant trois semaines souffrit le martyre sans ne pouvoir rien ingérer que, de temps à autre, de la viscéralgine par voie intramusculaire lorsque ses douleurs le mettaient au bord de la folie.

16. L'eau pendant les jeûnes

En dehors du rituel *« Que mangiez-vous ? »*, lorsqu'on déclare avoir fait un jeûne, après explication vient cette affirmation : *« alors vous vous obligiez à boire beaucoup »*.

Eh bien, non ! Lors d'un jeûne court ou long il est simplement recommandé de boire à sa soif de l'eau pure :

— vivante, si on a la chance d'accomplir son jeûne près d'une eau courante potable ;

— ou morte mais relativement pure et dans ce cas la Volvic, du moins en France, est la seule recommandable car non polluée par les sols.

Et ce « boire à sa soif » ne réclame qu'un demi-litre à un litre et demi d'eau, en moyenne, par jour et plus le jeûne est long, plus la soif décroît, surtout si on a le bonheur de vivre nu et de se baigner longuement dans une eau vive, point tout à fait important sur lequel nous reviendrons.

On ne se force à boire deux litres d'eau distillée qu'en fin du jeûne sec de trois jours (voir ce paragraphe dans la rubrique « les jeûnes courts »).

17. Jeûne et hygiène corporelle

Dans ce cas aussi le jeûne est apte à nous guérir d'un préjugé : l'usage du savon n'est nullement nécessaire à la propreté.

Il a même un effet éprouvant et nocif : le sébum, substance fabriquée par les glandes de notre peau, a pour charge de nous protéger contre les agents extérieurs. Plus on se nettoie souvent à l'eau chaude avec l'apport de produits saponifiés, plus on impose à notre organisme la production du sébum que l'on a fait disparaître, grande dépense d'énergie tout à fait inutile.

Si on a la malchance d'habiter les grandes agglomérations toutes surchargées d'immondes poussières, notre intérêt est de nous rincer dans une eau froide ou à peine tiède à l'aide d'un gant, matin et soir, et de nous savonner seulement une fois tous les trois jours. Si l'on vit dans un air pur, le rinçage à l'eau est amplement suffisant, sauf bien sûr si le travail à accomplir est très encrassant (nettoyage de fosses, réparation de moteurs, etc.).

Dans un jeûne, on n'emploie évidemment pas de savon qui pénétrerait notre organisme par capillarité, ce qui serait curieuse manière de reprise alimentaire ; on recommande simplement baignades avec friction dans de l'eau de source ou sinon rinçage à l'eau froide ou à peine tiède issue du robinet. Les cosmétiques (souvent fabriqués à base de graisse d'animaux d'abattoirs) sont proscrits ainsi que les shampooings : les cheveux sont aussi simplement rincés, mais à l'eau tiède afin d'éviter un refroidissement brutal de la tête. Le dentifrice n'est pas plus accepté : on se masse les gencives avec les doigts (de bas en haut) et on les vitalise, ainsi que les dents, à l'aide d'un jet d'eau issu d'un pulvérisateur dentaire ; il est aussi recommandé de mâcher l'eau que l'on boit pour sauvegarder l'irrigation causée par la mastication.

N. B. : Les personnes munies d'un dentier ont intérêt à le conserver durant leur jeûne, car les gencives courent le risque de s'amollir et de se contracter lors de l'amaigrissement général et les prothèses pourraient ne plus s'adapter : manque très ennuyeux lors de la reprise alimentaire.

18. Jeûne et ensoleillement

Si, comme il est souhaitable, on accomplit son jeûne long durant la belle saison sous un climat tempéré chaud, en légère altitude — de 700 à 900 m (conditions idéales !) — on peut et on se doit de rester immobile, entièrement nu, au soleil mais seulement avant 10 heures du matin ou après 5 heures du soir (horaires à allonger ou rétrécir suivant le moment de l'année et les lieux). On peut par contre exposer à un soleil plus chaud durant 10 mn ses organes sexuels, gland décalotté ou lèvres maintenues écartées ; la conséquence en est une excellente recharge très vivifiante.

Le reste du temps, on peut profiter des rayons de « l'ange de la lumière » qui bronzeront doucement, profondément et harmonieusement si l'on se met à l'ombre et de préférence de celle d'un feuillage.

Ces justes pratiques sont à conserver en dehors même des jeûnes car l'exposition statique prolongée aux rayons d'un soleil fort est particulièrement débilitante.

19. Les quatre manières d'aborder un jeûne

On peut aborder un jeûne avec quatre sortes d'état d'esprit :

a) Intellectuellement, afin d'obtenir une plus grande lucidité, une plus grande force de travail, un style plus clair : des philosophes, des sages, des penseurs l'ont pratiqué en ce but ; afin de soulager une douleur ou une misère morale (deuil, peines de cœur...) ; afin de guérir d'obsessions, de phobies (alliénations mentales...) ; afin d'obtenir un gain pour soi-même ou d'autres (jeûnes idéologiques, voir ce paragraphe)...

b) Physiquement, pour sauvegarder ou retrouver la santé du corps (jeûnes préventifs ou curatifs, voir ce paragraphe).

c) Spirituellement, afin que la pureté de nos viscères, de notre sang et par suite de notre pensée nous permette plus aisément d'entrer en contact avec l'Univers, le Cosmos ou Dieu.

d) Saintement, en espérant l'unité du physique, de l'intellect et de l'âme ; cette dernière manière fait partie d'une ascèse continuelle où, comme le souligne Jean de la Croix, « *on perd l'entendement, la volonté et la mémoire* », et elle demeure l'apanage de la Sainteté ou du premier pas vers Elle.

N. B. : Nous soulignons dès lors un thème qui est, avec l'apport DES SUBTILES NOURRITURES ELECTROMAGNETIQUES, l'un des principaux de notre modeste ouvrage : UN JEUNE LONG N'A DE BIENFAITS PROFONDS, DURABLES, QUE S'IL EST CREATIF ET SPIRITUALISE. Cela ne s'applique, bien sûr, qu'aux deux premières formes de jeûne : intellectuel ou physique ; les deux autres l'impliquent complètement.

20. Influence du psychisme et durée de jeûne

Les gens sont très souvent indécis sur la durée du jeûne qu'ils veulent entreprendre : « *Oh, je commence et puis on verra bien !* », est une réflexion courante même chez ceux qui ont déjà pratiqué des jeûnes courts ou moyens.

La durée de tout jeûne qu'il soit court, moyen ou long — quitte à interrompre ce dernier en cas d'accident —, la durée de tout jeûne et celle de la reprise alimentaire doivent être toujours décidées au préalable : notre organisme tout entier saura alors, par l'entremise de notre psychisme, le temps d'épuration et de rénovation qui lui est imparti et mobilisera, distribuera ses forces en conséquence.

CHAPITRE VI

Les jeûnes courts

1. Sommeil profond ou léger ?

Le jeûne est le meilleur, le plus essentiel, le plus primordial des repos. Qui le connaît ? Par contre, tous croient savoir ce qu'est le repos. Nous parlerons donc tout d'abord de sa forme quotidienne caricaturale qu'on nomme sommeil, et avant de le jeter hors du lit nous dénoncerons un lieu commun : le sommeil profond n'est pas réparateur. Le sommeil d'un être en bonne santé est toujours court et léger, extrêmement léger ; il ne dort que d'un œil, il reste ouvert, disponible, protecteur, éveillé comme nous ne devrions jamais cesser de l'être. Le sommeil profond est la résultante de la violation des lois de la vie : il est abrutissement, hébétude (voyez nos bouches ouvertes qui ne nous quittent pas même en posture verticale).

— *« J'ai dormi comme un ange »,* entend-on souvent, il devrait être dit : « *J'ai dormi comme un démon, comme un ange...déchu.* » On se couche généralement la mémoire et l'estomac pleins et, le sommeil mettant en veilleuse notre métabolisme, on s'éveille au matin tout plein des déchets de la veille ; à peine levé on en engloutit d'autres, puis voici l'en-cas de la mi-matinée, le déjeuner, le goûter, le dîner et quelquefois le souper... Où, dans ce programme, nos viscères trouvent-ils un seul instant de repos ? Surmenés, ils deviennent tout à fait incapables d'assumer leur charge d'assimilation et d'élimination ; nos carences et nos pléthores nous procurent bientôt une grande fatigue dont nous nous distrayons par des drogues physiques et mentales (alcools, excitants, distractions, tranquillisants...) qui accentuent notre abrutissement peuplé de cauchemars puis d'insomnies ; nous nous suralimentons encore davantage pour pouvoir tenir et il est bien étonnant qu'on s'étonne alors de tomber malade. Il est vrai qu'on l'était déjà et il serait normal d'accorder alors quelque repos à notre organisme en laissant « faire la Nature » ! Eh bien, non ! Nous nous engageons alors dans un cycle infernal qui fait le déficit de la Sécurité sociale, la fortune des laboratoires et des médecins, et la surcharge et l'inhumanité des hôpitaux où se multiplient les maladies dites « de traitement », et la régression de toutes nos potentialités vitales.

Lorsque l'alimentation est capable de nourrir essentiellement par la vie qu'elle porte, le sommeil se raccourcit considérablement car il devient réellement un repos. Nos grands-mères avaient raison : « *les heures avant minuit comptent double* », et se coucher à 8 heures du soir permet effectivement de se lever à 1 heure du matin si l'on est adulte... les enfants jusqu'à la fin de la croissance ont besoin de plus de repos.

2. Un emploi du temps monastique

Un horaire quotidien d'une grande perfection est encore celui de certains monastères :

17 à 18 heures : dîner (fruits).
18 à 20 heures : promenade, conversation.
20 à 24 heures : sommeil.
24 à 1 heure : oraison.
1 à 5 heures : travaux spirituels et artistiques.
5 à 6 heures : repos, ablutions.
6 à 7 heures : messe.
7 à 11 heures : travaux manuels (jardinage, culture, artisanat...) puis ablutions.
11 à 12 heures : déjeuner (légumes crus plus un plat, soit lipides, soit glucides, soit protides...).
12 à 14 heures : promenade, conversation.
14 à 17 heures : travaux intellectuels.

Toutes les possibilités d'un être sont ici orchestrées en un harmonieux ensemble capable de favoriser son épanouissement dans la joie de vivre et vers l'Unité.

3. Autonomie des jeûnes courts

Un séjour en monastère est toujours plus profitable que celui en clinique psychiatrique ou de repos. Durant un jeûne long créatif et spiritualisé, il serait heureux de retrouver un emploi du temps un peu similaire mais tenant compte des instants de lassitude que chacun peut éprouver et où ne régnerait nulle impression de contrainte. Cette sorte de vacances (vacant : libre) remplacera avantageusement les voyages organisés, ou un mois dans une station balnéaire, où nous continuons de nous surmener intensément.

Les jeûnes courts, eux, sont extrêmement intéressants pour le commun des mortels, prisonnier de ses habitudes et de ses obligations matérielles, car on peut les réaliser sans surveillance d'aucune sorte et sans rien changer à sa vie ; ils sont un premier pas vers le rétablissement de l'équilibre : renforcement de nos immunités naturelles, épuration de notre organisme, recharge de notre radio-vitalité... Ils sont aussi la pierre de touche des jeûnes longs, dans la mesure où l'allégement ressenti incite à un soulagement plus grand encore. Nous subdiviserons les jeûnes courts en quatre catégories :

4. Le jeûne de 15 heures

C'est évidemment le plus court de tous ; il consiste à manger légèrement le soir, de telle sorte qu'on puisse se coucher après avoir digéré ; un repas de fruits est l'idéal (fruits de saison, fruits secs retrempés pendant 12 heures ou fruits oléagineux, en respectant la règle des non-mélanges, voir ce paragraphe) ; les fruits, incompatibles avec d'autres aliments, s'assimilent seuls aisément et rapidement, s'ils sont bien mastiqués. Au matin, on supprime le petit déjeuner nocif (café, lait, thé, chocolat, pain blanc, beurre...) et on ne prend rien ou un verre d'eau pure ou une infusion non sucrée de thym. Puis on remange à midi.

Nous offrons là à notre système digestif une absence de travail s'étalant sur 15 heures : d'un soir à 9 heures jusqu'au lendemain midi. Ce ne sera pas encore un repos mais une possibilité pour notre corps de faire le ménage. Cette manière de faire devrait être le lot quotidien de toute vie humaine ; elle est la norme pouvant assurer « *un esprit sain dans un corps sain* ». Si nous ne la pratiquons qu'incidemment elle deviendra notre premier pas diététique.

5. Le jeûne de 36 heures

Comme le jeûne de 15 heures, le jeûne de 36 heures débute un soir à 21 heures après un repas frugal, mais il se prolongera jusqu'au surlendemain midi. Ce sont donc deux nuits, une journée entière et une matinée de repos que nous offrons à nos organes digestifs et, par suite, à tout notre corps. On boit à sa soif de l'eau pure (Volvic de préférence), sans rien ajouter d'autre. Il est préférable que ce jeûne, un peu plus conséquent que le précédent, s'accomplisse, si les charges familiales ne sont pas plus lourdes que le travail hebdomadaire, durant le week-end ; du vendredi soir au dimanche midi ou du samedi soir au lundi midi, de telle sorte qu'on puisse jeûner au calme, dans le silence et la pénombre, la réflexion et la méditation.

Ce jeûne de 36 heures ne nécessite pas une véritable reprise alimentaire : on mangera simplement léger, sans mélanges incompatibles, le midi et le soir du jour de la reprise.

On peut répéter ce jeûne de 36 heures une fois tous les quinze jours : on ne s'en portera que mieux.

6. Le jeûne humide de trois jours

Comme les deux précédents, le jeûne humide de trois jours commence un soir après la digestion d'un repas frugal mais se prolongera jusqu'au sur-surlendemain midi. Les premières fois qu'on s'y livre il est recommandé, si l'on travaille à l'extérieur de chez soi, de le faire débuter un jeudi soir et de le terminer le dimanche soir suivant, de telle sorte qu'on puisse lui réserver les deux derniers jours dans le calme, le repos, le silence, le recueillement ; on peut aussi se livrer à ses activités coutumières, faire quelques salutaires marches à pied. Le premier repas de la reprise alimentaire sera composé de l'eau de cuisson de légumes biologiques (durée de cuisson 3 heures, à feux doux, sans ébullition) ; le lendemain on mangera les légumes sans aucun assaisonnement ; le surlendemain on fera un repas de fruits de saison (sans mélange). Les exercices procurant une respiration profonde (chant, yoga, marche...) sont conseillés durant ce jeûne de trois jours.

7. Le jeûne sec de trois jours avec reprise alimentaire à l'eau distillée

Ce jeûne total, c'est-à-dire aussi sans eau, nécessite davantage de repos, surtout si on l'accomplit durant la saison chaude, car la sensation de soif risquerait d'être très pénible. On le pratique afin de livrer l'organisme à sa seule gouverne. Sa distribution horaire sera la même que celle du jeûne humide de trois jours, ainsi que sa reprise alimentaire, excepté que le dimanche soir le bouillon sera remplacé par deux litres d'eau distillée que l'on se sera procurés aisément en pharmacie. Les effets de ce jeûne peuvent être plus violents que ceux, anodins, du précédent : langue plus chargée, maux de tête plus douloureux, odeur *sui generis* plus intolérable, donc l'épuration qu'il provoque est plus profonde ; après la prise d'eau distillée diarrhées et vomissements ne sont pas faits exceptionnels.

Voici ce que dit le docteur Hanish de l'eau distillée :

« *Le reproche qu'on fait à l'eau distillée, d'être morte, stérile, est justement ce qui la rend propre à faire cet office de nettoyage parfait.*

Justement parce qu'elle ne contient aucune substance, elle sera l'agent neutre, parfait, qui lavera, et entraînera hors de l'organisme tout ce qui, de produits indésirables, l'encombre et en paralyse l'activité fonctionnelle.

La quantité d'eau distillée ingérée hors des prises d'aliments est surtout intéressante en ce que, changeant la pression osmotique, elle modifie tous les échanges profonds, entraîne un brassage général et une sortie des éléments inutiles ou nuisibles qui séjournent dans l'organisme en suite du ralentissement circulatoire, vital, en suite de fautes alimentaires perturbant les opérations de nutrition.

...Il ne s'agit donc là que de pousser au-dehors ce qui encombre, et non de soins par apports médicamenteux quelconques ; tout au contraire, il s'agit de prendre un dissolvant, qui sera également véhicule, et débarrassera par voie rénale, sans léser celle-ci, l'organisme, de tout ce qui s'amasse de liquide superflu et d'éléments impropres dans les tissus et le sang, et qui font obstacle au fonctionnement vital. Seulement ainsi, lorsque purifié, le sang sera justement composé, aura qualités et pouvoir pour assurer de normaux et constants échanges entre les divers fonctionnements organiques, et pourra porter à la cellule l'indispensable et normale revitalisation...

Tant que la texture du sang est anormale, trop pauvre, ou encore chargée d'éléments impurs, étrangers à sa juste composition, la circulation fluidique, les apports glandulaires, sont empêchés de collaborer à l'œuvre de nutrition, de renouvellement, d'enrichissement vital...

L'objet de cet énergique traitement épurateur est de produire par pression voulue une expulsion, une sortie complète de tout ce qui est étranger à la composition du liquide nourricier, qui entrave le fonctionnement des organes, et empêche les diverses activités et sécrétions de se produire, et de contribuer au renouvellement cellulaire, à la régénération vitale. »

Les cardiaques, les insuffisants rénaux, les forts obèses ne doivent pas se livrer au jeûne sec de trois jours sans conseil et surveillance compétents ; ils peuvent, par contre, se livrer prudemment à la cure d'eau distillée hors jeûne (définition à notre chapitre « Autres préparations aux jeûnes longs »).

8. Conseils pratiques

Nous avons souvent remarqué que fréquemment les patients, enthousiasmés par l'allégement que leur procurent leurs premiers jeûnes courts, auraient tendance à les répéter anarchiquement autant de fois qu'il leur convient : ils tombent alors dans un excès inverse qui risque aussi de les infirmer.

Il est bon de comprendre que le jeûne de 15 heures peut rester quotidien mais que les deux premiers mois, si cette formule a été adoptée, deux ou trois jeûnes de 36 heures, espacés chacun d'au moins trois semaines, sont amplement suffisants. Au troisième mois, on peut aborder un jeûne humide ou sec de trois jours. Si l'on désire, par ses jeûnes courts, accéder avec plus de bonheur au jeûne long, il faut se garder d'agir d'une manière incohérente qui risquerait de nous l'interdire parce que nous y arriverions trop diminués.

On doit donc préméditer raisonnablement la durée et l'intervalle des jeûnes courts, sauf bien sûr si la maladie nous obligeait à un jeûne de sa propre durée... Il est bon aussi de ne rien absorber si l'on n'a aucun appétit, si l'on est trop fatigué ou contrarié.

Ces petits jeûnes vous apprendront à vous connaître mais ne perdez pas de vue, au commencement, qu'un patient se doit de l'être : renonçons à vouloir aller vite ; on ne répare pas en quelques jours les excès et les désordres de plusieurs années ou dizaines d'années. Remercions la Nature de nous l'accorder sur plusieurs mois. L'impatience, la brutalité, la violence nous furent néfastes et elles continueront de l'être.

CHAPITRE VII

Les jeûnes moyens

1. Les jeûnes curatifs de quatre à dix jours

Les jeûnes moyens sont ceux dont la durée se répartit entre quatre et dix jours. Certains s'y livrent de quinzaine en quinzaine puis de mois en mois en les allongeant progressivement ; ce ne serait que des jeux pour jeûneurs avertis mais ces derniers ne jouent pas et préfèrent les jeûnes courts dès que le besoin s'en fait sentir, ou des jeûnes moyens, longs ou très longs de durée bien définie.

Les jeûnes moyens de quatre à dix jours nous sont en général imposés par des maladies contagieuses telles grippes, coqueluche, rougeole... ou des accidents personnels : crise de foie ou d'appendicite, surmenage... Ils rentrent donc dans la catégorie des jeûnes curatifs, à pratiquer au repos et au chaud sous une bonne surveillance thérapeutique. Les jeûnes moyens volontaires se répartissent sur deux durées : sept ou dix jours.

2. Les jeûnes de sept ou dix jours

Les jeûneurs avertis pratiquent ces jeûnes tout en continuant leurs activités, quatre fois par an, à chaque changement de saisons qui préside toujours à un changement de climat et pour eux, en conséquence, à un changement d'alimentation. Ce sont d'excellents jeûnes préventifs rechargeant notre électromagnétisme au rythme de ceux de la Nature que rien en nous ne vient plus contrarier.

La reprise alimentaire en est plus délicate et devrait être au moins égale au temps du jeûne ; nous n'entrerons pas ici dans les détails de cette reprise car nous consacrons un chapitre entier aux reprises alimentaires de jeûnes moyens ou longs à la fin de notre ouvrage.

Le choix de la durée (sept ou dix jours) est fonction des obligations et du tempérament de chacun.

En conclusion : les jeûnes moyens sont donc ou jeûnes saisonniers ou jeûnes curatifs.

3. Jeûne moyen en milieu urbain

Nous eûmes l'occasion de considérer ce jeûne de dix jours de manière différente : certains citadins surmenés le préfèrent à un séjour en clinique de repos, ou en monastère, et l'accomplissent chez eux dans le silence, la solitude, le recueillement, la pénombre, en ne recevant durant ce temps que leur praticien qui vient converser 1 ou 2 heures par jour avec eux, pratiquant ce que Socrate appelait la maïeutique. Cette forme de repos est une recharge très bénéfique pour ceux qui ont le courage de condamner leur porte.

CHAPITRE VIII

Autres préparations aux jeûnes longs

Ainsi que nous l'expliquons depuis le début de notre ouvrage, *le jeûne est incomparable* : régénérescence et épuration sont ses deux mamelles où l'être tout entier repuise la pureté originelle.

Il y a cependant d'autres moyens naturels qui permettent un nettoyage du corps et une recharge de sa vitalité. Pour ceux trop faibles ou trop infirmés qui pourraient encore croire que le jeûne reste synonyme d'inanition, ces moyens de purifications organiques auront l'avantage d'être pratiqués en continuant de se sustenter. Ces cures demeurent de bons paliers vers un meilleur équilibre, une plus grande lucidité, une compréhension plus profonde du jeûne et sont, en tous cas, excellentes pour renforcer les effets revitalisants et amplifier les actions purificatrices que proposent les jeûnes courts.

1. Le bain de siège froid matinal

C'est un excellent coup de fouet donné à tous nos organes excréteurs et qui combat, ou prévient, la constipation. On le pratique le matin *A JEUN*, dès le réveil, comme suit :

Emplir d'eau froide une baignoire ou un bac à douche de telle sorte qu'une fois assis dedans, l'eau ne dépasse pas le niveau de l'aine : ne séjournent donc dans l'eau que le séant et les parties sexuelles ; les premiers temps n'y rester que 3 mn puis progressivement jusqu'à 5 mn, sans jamais dépasser cette dernière durée. Durant les saisons froides, on a avantage à séjourner dans ce bain en se couvrant chaudement le bas et le haut du corps (chaussettes, pull-over). Les femmes doivent interrompre cette cure avant et durant leurs règles.

N. B. : Nous avons souligné les mots « à jeun » car si vous preniez ce bain de siège après avoir mangé vous risqueriez aussitôt d'en vérifier l'efficacité : vous vomiriez ; le corps entièrement stimulé vers l'élimination, comme durant les maladies, ne supporte pas l'ingestion.

2. Les fruits frais ou secs

Les fruits sont, de par leurs apports vitaminiques, minéraux, radio-vitaux, tout à fait nécessaires à notre nutrition, et comme de surcroît ils favorisent le transit intestinal et sont digestivement incompatibles avec tous les autres aliments, il est tout à fait conseillé de les consommer en guise de petit déjeuner.

Donc, fruits frais biologiques de saison ou fruits secs biologiques retrempés toute la nuit afin de leur restituer l'eau qu'ils possédaient à maturité et redeviennent ainsi digestes.

N. B. : Les paresseux intestinaux se trouveront bien de manger, après un bain de siège froid matinal, en alternance : figues sèches retrempées, pruneaux secs retrempés et jus de myrtilles.

3. L'argile par voie buccale

On se procure en magasin de diététique un paquet d'argile verte buccale. Chaque soir on y prélève une cuillerée à café qu'on fait dissoudre dans un verre d'eau (10 cl) avant de laisser macérer toute la nuit. Le matin, à jeun, on prend soin de boire cette eau argileuse sans remuer le verre, de telle sorte que l'argile reste au fond et ne soit pas absorbée. Les principes radio-actifs de l'argile, déposés dans l'eau, vont revitaliser nos viscères digestifs et combattre les putréfactions (1).

La durée de la cure est d'un mois tous les semestres.

N. B. : Si l'on décidait de boire l'argile avec l'eau, il faudrait prendre bien garde de ne jamais absorber de graisses d'aucune sorte durant toute la cure : l'argile ne serait plus éliminée et transformerait le gros intestin en un tuyau rigide tout prêt à casser. Pour avoir omis cet impératif, plus d'un naturiste soucieux de purification s'est retrouvé en salle d'opération avec une bonne péritonite.

---

1. Voir à ce sujet l'ouvrage d'André Passebecq : *L'Argile pour votre santé* (Editions Dangles).

Le traitement par l'eau argileuse, compte tenu de la restriction qui précède, est tout à fait positif dans les cas de mycoses consécutives aux longs traitements par antibiotiques.

4. L'huile d'olive

L'huile d'olive vierge biologique, de première pression à froid, est un bon draineur hépatique. On peut en faire une cure d'un mois, orchestrée comme suit :

Un soir on remplacera le dîner par l'absorption d'un tiers de verre (à moutarde) d'huile d'olive additionnée de citron pour rendre tolérable sa grasse viscosité ; on restera ensuite allongé, durant au moins une heure, sur le côté droit.

Les trois autres prises seront échelonnées de semaine en semaine en augmentant progressivement la quantité d'huile, selon sa propre tolérance, et de citron : passer d'un tiers de verre à un verre entier ou à un tiers de litre pour la quatrième prise.

Cette cure assainit le foie et peut empêcher la formation de calculs biliaires, ou ramollir ceux qui se seraient déjà formés et faciliter leur expulsion si leur grosseur le permettait encore.

5. Le lavement intestinal

Nous avons consacré antérieurement un chapitre au lavement intestinal et nous y expliquons ses modes d'administration et les bienfaits qu'on peut en retirer (consulter la table des matières).

6. Les sucs de légumes

La cure de sucs de légumes est un excellent assainisseur des voies digestives. On mâchera journellement la valeur d'une grosse ampoule ou d'un tiers de verre de suc de chou vert, de suc de radis noir, de suc de pissenlit. On peut faire alterner ces trois produits sur trois jours, ou les consommer tous quotidiennement (si la tolérance est bonne) en trois prises espacées, entre les repas. La durée de la cure est de vingt et un jours consécutifs par mois, renouvelée tout un trimestre.

Le suc de radis noir existe en ampoules dans les magasins diététiques ; quant aux sucs de chou et de pissenlit qui n'y sont vendus qu'en bouteilles, on aura tout intérêt à passer des radis et des chous à la centrifugeuse au fur et à mesure de ses besoins car ces jus doivent être consommés instantanément, sinon ils perdent toutes leurs vertus au contact de l'air.

7. Les oligo-éléments

Les naturistes qui ont encore la malchance de séjourner loin des jardins et qui font, malgré tout, leur ordinaire d'aliments biologiques, savent bien la fragilité des légumes et des fruits et font régulièrement des cures d'oligo-éléments pour contrebalancer des carences éventuelles en sels catalyseurs.

Le magnésium et la silice (poudre de prêle) sont souvent employés. Le manganèse-cobalt traite les dyskinésies biliaires, les spasmes colitiques périodiques... Le manganèse-cobalt et le soufre sont alternés avec le nickel-cobalt dans le traitement des constipations. Les selles irrégulières sont traitées par le manganèse-cobalt (anxiété) et le manganèse-cuivre (fatigabilité), etc.

Les oligo-éléments, qu'on trouve sous forme de spécialités (Labcatal) en pharmacie, sont absorbés par voie per-linguale (on fait séjourner le liquide 1 à 2 mn dans la bouche), à raison généralement de deux doses ou ampoules par semaine.

N. B. : Le complexe cuivre-or-argent est un excellent auto-immunisant général.

8. L'eau distillée

Nous conseillons antérieurement la prise de deux litres d'eau distillée à la fin du jeûne sec de trois jours. Nous expliquons ses vertus au chapitre « les jeûnes courts ». Mais l'eau distillée peut être aussi absorbée en dehors des jeûnes. En voici la posologie conseillée par le docteur Hanish (l'unité de mesure est un verre d'une contenance de 20 cl). On boira dans une même journée sept fois deux verres d'eau distillée :

a) au réveil (en guise de petit déjeuner),
b) une heure plus tard,
c) deux heures plus tard,
d) avant le déjeuner,

e) après le déjeuner,
f) avant le dîner,
g) après le dîner.

Durée de la cure : dix jours consécutifs tous les mois durant trois mois. Il est conseillé à ceux atteints de faiblesse cardiaque, d'insuffisance rénale, d'obésité, de commencer la cure par un seul verre à chaque prise afin « *d'établir graduellement et intelligemment sa propre mesure* ».

N. B. : Ces deux litres quotidiens d'eau distillée doivent rendre les digestions particulièrement laborieuses puisque deux d'entre eux sont à ingurgiter avant et après les repas et qu'ils doivent noyer les sucs digestifs. Nous avons vu ce traitement donner d'assez bons résultats surtout dans les cas de désintoxication alcoolique où les patients sont déjà habitués à absorber de grande quantité de liquides ; mais pour les autres c'est un véritable supplice et on préférera, de beaucoup, à ce traitement, un jeûne sec de trois jours où, à la fin, deux litres d'eau distillée sont accueillis dans la joie.

9. Les huiles essentielles

Les huiles essentielles combattent bien les fermentations putrides : cannelle, carvi, estragon, genévrier, girofle, oignon, sarriette, thym.

Le citron est un fluidifiant sanguin.

Les huiles essentielles se consomment généralement à raison de neuf à quinze gouttes par jour, en trois prises, dans une cuillerée à café de miel.

10. Les remèdes homéopathiques

Les laboratoires Lenhing fabriquent d'excellentes spécialités aptes à aider à l'épuration et à la régénérescence ; mais les nouvelles lois régissant la publicité nous interdisent de les énumérer. Consulter un bon homéopathe ou un dictionnaire homéopathique (2).

---

2. *Thérapeutique homéopathique*, du docteur Binet (Editions Dangles).

11. Le thym sauvage et le serpolet

Ces deux plantes sont d'excellents purificateurs des voies digestives. On les emploie, à raison de trois ou quatre tasses par jour, en infusions non sucrées. Durée de l'infusion : 3 mn. Dose : une cuillerée à café par tasse.

12. Le chant et le yoga

Toute respiration profonde et maîtrisée favorise les échanges organiques donc l'assimilation et l'élimination.

13. Les non-mélanges

Dans notre préambule diététique vous sont proposés deux tableaux des incompatibilités alimentaires :

a) celui des fruits, qui composent à eux seuls un repas et sont eux-mêmes divisés en trois catégories incompatibles : acides, mi-acides et doux ;

b) celui des légumes et des aliments énergétiques.

Il est certain que si l'on se met à pratiquer cette discrimination alimentaire on retrouve assez vite digestion, assimilation et élimination aisées et en conséquence une pureté viscérale apte à assumer aussi celle de notre sang et de nos cellules ; reviendront aussi les immunités naturelles qui nous mettront à l'abri d'agressions devenues inutiles pour notre évolution.

Nous reviendrons plus longuement sur ces non-mélanges qui se révèlent tout à fait importants lors des reprises alimentaires succédant aux jeûnes moyens ou longs.

N. B. : Les pertes blanches et les sinusites chroniques qui ne sont presque toujours que les symptômes d'une auto-infection disparaissent assez rapidement à la suite d'un jeûne long ou d'une cure purificatrice comme celle des non-mélanges.

14. Le crudivorisme

Lorsqu'on commence à comprendre que l'essentiel dans la nourriture n'est pas la matière mais la vie qu'elle porte, on se rallie peu à peu à une alimentation respectant ou amplifiant les vibrations des aliments. Nous expliquons les cuissons sans ébullition qui préservent la vitalité des végétaux et des farineux au paragraphe « Matériaux nobles et cuisson » dans notre première partie. Il est certain qu'une nutrition assumée par des éléments frais et vivants empêche les fermentations morbides génératrices de notre empoisonnement cellulaire.

Une cure de végétaux crus assure une excellente revitalisation de tout l'organisme. Certains supportent difficilement les crudités car leur système digestif infirmé est irrité par la cellulose ; trois modes de rééducation sont à leur portée :

a) la cuisson à la marmite Mono (cuisson lente sans aucun contact avec eau ou vapeur qui attendrit les végétaux sans infirmer leurs principes vitaminiques, minéralisants, radio-vitalisants — voir le paragraphe « Matériaux nobles et cuisson ») ;

b) la cuisson à feu très doux, sans ébullition, dans un récipient non couvert empli largement d'eau, en remuant souvent ;

c) après un long masticage, l'absorption d'un seul bol alimentaire sur trois évitera l'irritation cellulosique.

15. Le chant grégorien

Après avoir abordé la purification du corps pouvant apporter conséquemment celle de l'esprit, peut-être dirons-nous un mot sur la purification de l'esprit sans l'intermédiaire de celle du corps. Tout dans la Nature est à la fois émetteur et récepteur de vibrations, et il n'y a pas qu'en mangeant qu'on se nourrit. Les vibrations que l'on émet dans une créativité originale nourrissent ceux à qui elles parviennent, mais aussi celui qui les crée.

Les vibrations sonores ont un effet extrêmement profond sur tout ce qui vit : la plupart des musiques modernes ont le pouvoir de faire faner les végétaux alors que la plupart des musiques classiques ont celui d'activer leur croissance et de prolonger leur épanouissement.

Les chants grégoriens ont le privilège, avec certaines musiques méditatives sacrées hindoues, de ne rien flatter en nous. Ils s'expriment par l'instrument des instruments : la voix humaine *a capella,* c'est-à-dire sans accompagnement instrumental. Ils ne créent pas de références émotionnelles en nos mémoires et sont nourritures aussi pures et subtiles que les fruits. Ils ne renforcent pas notre égotisme et font appel à la part harmonieuse, universelle, divine, qui somnole en chacun de nous. Ils ne nous émeuvent ni physiquement, ni intellectuellement comme le fait toute autre musique, même dite religieuse, mais nous touchent spirituellement. Leur audition est aussi indigeste pour nombre d'entre nous que la nutrition crudivorienne mais leur puissance radiovitale est toute aussi grande.

Leur écoute dans le traitement des troubles psychiques remplace avantageusement l'usage des électrochocs, des excitants et des tranquillisants. Il faut les entendre avec tout son être et les laisser chanter en nous comme chante en nous la première bouchée de nourriture après un jeûne de trente jours.

Dans les jeûnes longs la pratique musicale quotidienne des vocalises, l'audition de chants grégoriens, la prière à voix haute ou la lecture de poèmes, la respiration profonde, réaccordent très justement les patients qui s'y livrent.

16. Le bilan

Dès le premier jour de jeûne, réfléchir et noter sous la forme très simple de relevé bancaire, deux sortes de bilan :

DEBIT	CREDIT
Dons non exploités	Dons exploités
Méfaits de notre vie	Bienfaits de notre vie

Continuer de débiter et créditer tout au long du jeûne, sans craindre les ratures.

Chaque soir : avant de s'endormir, en paix, revoir tout acte ou pensée de la journée avec lucidité, sans porter de jugement de valeur : est *positif* ce qui favorise la vie, et *négatif* ce qui la défavorise.

Chaque matin : dès le réveil, en paix, relire les notes de la veille, et axer tout son être vers l'unité, l'harmonie. Faire fuir le péché, c'est-à-dire tout acte ou pensée auquel votre être tout entier ne participe pas ; ne rien garder pour soi.

N.B. : tout être est habité par la même difficulté que comporte le renoncement au MOI pour accéder au JE. Chacun doit révéler l'unique qu'il porte en lui, et ne le pourra qu'en ne craignant plus de se perdre, et il sera gagné. La brebis perdue deviendra bergér à son tour, et n'aura de repos tant qu'une seule brebis restera encore égarée.

CHAPITRE IX

Les jeûnes longs

1. La durée des jeûnes longs

Les jeûnes longs ont une durée variant de onze à quatre-vingt-dix jours. Ceux de quarante et un à quatre-vingt-dix jours sont uniquement réservés aux grandes ascèses spirituelles ou à des maladies très graves et très tenaces ; ils sont accomplis soit par des êtres entraînés et avertis, soit par des patients, en milieu clinique, sous la surveillance constante de thérapeutes éclairés.

Nous eûmes récemment l'exemple de l'épouse de l'un de nos amis naturopathes qui, afin d'éviter l'ablation de sa vésicule, entreprit un jeûne long : les calculs biliaires furent éliminés au 47e jour.

Margot Pascard et Monique Couderc à qui il ne restait plus que quelques mois à vivre selon les diagnostics allopathes vinrent individuellement à bout de leur cancer après des jeûnes de vingt-huit jours. Plusieurs années se sont écoulées depuis leur victoire et leur maladie n'a pas récidivé.

Il s'agit dans les trois cas cités de jeûnes longs curatifs mais les jeûnes longs, comme les jeûnes courts ou moyens, peuvent être préventifs ou religieux.

Il est bien certain que ce qu'un organisme peut supporter en état de crise — et qui devrait être thérapeutique habituelle dès l'atteinte du moindre mal — le sera d'autant mieux en l'absence de maladie physique ou psychique.

Les jeûnes longs de pratique courante s'étalent sur quinze, vingt et un, vingt-huit ou quarante jours, toute durée de jeûne étant décidée par avance (voir notre paragraphe « Importance du psychisme ») et pouvant être raccourcie ou allongée. Le retour de la vraie faim, preuve que l'organisme s'est bien épuré, préside presque toujours à la reprise alimentaire. Presque toujours, car il ne faut pas omettre les intolérances ou accidents de parcours qui peuvent survenir et dont les premiers symptômes se traduisent par température, tension, pulsations anormalement faibles ou élevées, et trop grande perte de poids.

Nous répétons, pour ceux qui n'ont pas une longue et profonde expérience des jeûnes longs, que ceux-ci doivent s'accomplir impérativement sour surveillance compétente, et qu'il est préférable de les mener en compagnie d'autres jeûneurs, non bien sûr par esprit de compétition mais pour retrouver une fraternelle complicité et redécouvrir, de conserve, le sens du sacré qui fait tant défaut à la plupart de nos contemporains et est cause de la plupart de leur manque, malaise et hargne.

Nous ne montrerons et ne commenterons dans le présent ouvrage que la menée d'UN JEUNE LONG PREVENTIF CREATIF ET SPIRITUALISE DE VINGT ET UN JOURS, capable de servir de modèle à des jeûnes plus courts (quinze jours) ou plus longs (vingt-huit ou quarante jours).

2. Exemple d'un jeûne long

a) Préparation

Le patient est une femme âgée de 53 ans. Elle exerce une profession libérale. Elle est mariée ; elle a élevé son propre fils, issu d'une première union, plus les quatre enfants de son second mari (tous sont maintenant majeurs et mariés). Elle a mal supporté sa période ménauposiaque ; les rapports avec l'époux sont difficiles : autoritarisme masculin, irritabilité réciproque, manque d'épanouissement affectif et de la personnalité ; une liaison extra-conjugale du conjoint est mal tolérée. Elevée catholiquement, la patiente a perdu la foi ; son métier pourtant créatif et altruiste (esthéticienne) ne réussit pas à l'équilibrer.

Le transfert affectif se fixe sur l'alimentation et se traduit par de fréquentes crises de boulimie. La patiente est très mal dans sa peau ; nombreuses crises de dépression ; plus de raison de vivre. L'attitude est lasse, le dos voûté, les épaules affaisées, le port de tête incliné ; l'élocution est basse, lente, hachée ; les pulsations anormalement élevées (entre 100 et 120) ; la tension est normale. Elle souffre de constipation.

Elle a subi antérieurement plusieurs traitements médicaux tout d'abord allopathes puis homéopathes pour tenter de soulager son angoisse, ses anxiétés, ses dépressions et stopper son obésité naissante. Elle n'a jamais participé psychiquement auxdits traitements. A la suite d'une conférence sur le thème « *Que l'aliment soit ta seule médecine* » à laquelle elle a assisté, elle décide de s'intéresser à la diététique.

Nous sommes en mars 1977 ; la patiente, qui mesure 1,63 m, pèse 65 kg : de précédentes posologies l'ont fait un peu maigrir mais en accentuant son déséquilibre mental ; elle est encore à 10 ou 12 kg en dessus de son poids réel. Les chairs sont molles, distendues surtout aux ventre, hanches, fesses et cuisses ; cellulite.

Elle se fait expliquer les lois de la vie et celles de la nutrition et en accord avec le naturopathe traitant est décidé le traitement suivant :

1) Bain de siège froid matinal de 5 mn (pour réveiller les fonctions éliminatrices).

2) Absorption d'une macération, après filtrage, de trois têtes de camomille et d'un citron biologique entier coupé en rondelles, en remplacement du génocide petit déjeuner habituel (pour réduire les graisses).

3) Deux exercices pour combattre les déformations de la colonne vertébrale, imposées par le métier pratiqué et la lassitude morale.

4) Cure de suc de radis noir et de chou (pour purifier le système digestif).

5) Cure de blé germé (pour reminéraliser et fortifier tout l'organisme).

6) Cure d'oligo-éléments :
— cuivre-or-argent (renforcement des immunités naturelles),
— phosphore (pour combattre l'asthénie cérébrale),
— soufre (contre les insuffisances digestives hépato-biliaires),
— magnésium (pour le bon métabolisme de la cellule nerveuse).

7) Cure de teinture-mère :
a) lavandula (antidépressif) ;
b) fucus vésiculosus (pour réduire l'obésité).

8) Abandon progressif des nourritures carnées (viandes et poissons), sources de fermentations putrides (pendant vingt et un jours : une fois tous les deux jours ; vingt et un jours suivants : une fois tous les trois jours ; puis tous les quatre ; etc...).

9) Nourriture totalement biologique.

10) Marche à pied quotidienne de 30 mn.

11) Un jeûne de 36 h tous les quinze jours.

12) Lectures conseillées : *Réflexions sur la conduite de la vie* (docteur Alexis Carrel), *Guérison par les fleurs* (docteur Bach). *Les Mains vertes* (Alain Saury), *Le Jeûne* (docteur Shelton), *Renaissance individuelle, recettes culinaires* (docteur Hanish), *Le Chemin de la perfection* (Sainte Thérèse d'Avila).

b) Résultats obtenus

UN MOIS PLUS TARD, en avril 77, la patiente a perdu 6 kg (poids : 59 au lieu de 65) ; son teint est plus clair, ses selles quotidiennes ; son regard s'est animé ; sa volonté et son intérêt pour la vie se réveillent ; elle se tient droite ; son parler est devenu vif, sa pensée constructive ; elle a très bien supporté ses 2 jeûnes courts et y a trouvé un grand soulagement mental et physique ; sa spiritualité semble renaître ; autour du ventre et des hanches, les tissus adipeux ont disparu, la cellulite est en nette régression, les chairs s'affermissent ; elle a retrouvé goût à son travail ; la boulimie a disparu. Elle commence à s'intéresser à la cuisine végétarienne biologique.

Le traitement antérieur est poursuivi avec suppression de la cure de teinture-mère (lavande et varech), prolongation du jeûne de 36 h en jeûne de trois jours (même intervalle : tous les quinze jours), adjonction d'infusion de busserole (1 litre par jour) et de suc de pissenlit (pour combattre une récente rétention d'urine) et de poudre de prêle (reminéralisation).

UN AUTRE MOIS PLUS TARD, en mai 77, la patiente a perdu encore 2 kg (poids : 57 au lieu de 59, précédemment 65). Elle a retrouvé son enthousiasme. *« Je pète le feu »,* dit-elle et affirme avoir retrouvé non seulement son corps mais aussi son âme.

Il faut alors la réfréner car la libération ressentie durant ses jeûnes est telle qu'elle aurait tendance à les prolonger déraisonnablement : six ou sept jours au lieu de trois, tout en continuant à travailler.

Elle accepte de ne pas tomber dans un excès inverse afin de pouvoir bien assumer un jeûne long de vingt et un jours qu'elle a décidé d'accomplir durant son mois de vacances d'août. Deux mois l'en séparent encore, deux mois durant lesquels elle pratiquera les régimes dissossiés puis viendra à des repas de fruits et à une alimentation crudivore plus suivie (salades et légumes).

Du premier et second traitements ne subsistent plus peu à peu que le bain de siège froid, les promenades, les lectures, les exercices de rééducation vertébrale, l'absorption de blé germé et de suc de radis noir (quinze jours par mois, pour faciliter le fonctionnement d'une vésicule biliaire paresseuse).

ET TROIS AUTRES MOIS PLUS TARD, elle aborde son premier jeûne long qu'elle poursuivra avec deux autres patients. Elle est, à ce moment, devenue végétarienne, pèse 59 kg (donc encore 4 ou 5 kg de trop), et ses pulsations sont anormalement fortes : 120, alors que sa norme se situe aux alentours de 85.

Nous vous donnons maintenant à consulter sa feuille de cure durant ce mois de régénération.

c) Feuille de cure durant un jeûne de vingt et un jours

d) Réflexions

Réflexions du même sujet et du naturopathe-traitant à propos du traitement préparatoire, du jeûne lui-même, de la reprise alimentaire et des conséquences de l'ensemble.

Tous deux s'accordent pour reconnaître les bienfaits de la préparation au jeûne qui se déroula, grâce aussi à cela, sans heurts et en pleine quiétude.

Le jeûne lui-même eut lieu au cœur de la saison chaude dans un endroit idéal : région de basse montagne (700 m d'altitude, dans les pré-Alpes françaises), ensoleillée, toute baignée d'air frais et fluide, remarquablement silencieuse, plantée d'oliviers et de pins, à proximité d'une source cascadante et pure.

Chaque patient possédait une chambre individuelle dont les fenêtres s'ouvraient sur les pentes proches des montagnes, parsemées de thym, de romarin, de genévrier et de bien d'autres plantes sauvages dont les senteurs, à la rosée matinale, annonçaient le lever du jour bien avant l'apparition du soleil.

Le jeûne prévu pour vingt et un jours fût interrompu seulement au vingtième dès l'apparition de la vraie faim, profondément apaisée par le premier bol de jus de cuisson lente de végétaux nutritifs sauvages.

La reprise alimentaire ne fût cause d'aucun accident mais patient et thérapeute la jugèrent trop courte : elle s'étala, en effet, sur 7 jours et sa durée représente le tiers du temps du jeûne. Il leur apparut à tous deux que la reprise alimentaire était plus importante que le jeûne, ou du moins tout autant, et que, pour consolider plus durablement les effets de ce dernier, il aurait fallu une reprise alimentaire d'une durée double du temps du jeûne ou au moins égale à celui-ci.

Si on ne dispose que de trente et un jours consécutifs, il semblerait que la répartition suivante soit plus justifiée :

a) deux jours de repos avec alimentation fraîche et crue,
b) treize ou quatorze jours de jeûne hydrique,
c) quinze ou seize jours de reprise alimentaire.

Cette perfectibilité ayant été conçue, l'ensemble du traitement (préparation, jeûne, reprise) se révéla bénéfique : la patiente retrouva

FEUILLE DE CURE DURANT UN JEÛNE DE 21 JOURS

Jour	M : matin S : soir	Poids	Pouls	Temp.	Tension	Observations
1	M S	59	120	37	13/10	Jour de l'arrivée, après 1 an en ville. Repas végétariens biologiques.
2	M S	59	120	37	13/9	2 repas végétariens : salades, céréales. Promenades.
3	M S	58	110	37	14/10	Midi : salades. Promenade. Soir : fruits.
4	M S	58	110	37	13/8	1er jour de jeûne. Matin : exercices. Après-midi : libre.
5	M S	57	112	37	13/9	2e jour de jeûne. Exercices, promenade, baignade, repos.
6	M S	56	102	37 37,3	13/8	3e jour de jeûne. Bougeotte, nausée, sans faim, selles plus rares.
7	M S	54 54	100	37 37	12/7	4e jour de jeûne. Lassitude. Conversation spiritualisée.
8	M S	53,5 53	126 100	37,3 37,5	14/10 14/8	5e jour de jeûne. Douleurs dans les os. Refus de faire les exercices. Repos.
9	M S	53 53	104 104	36,8 37	14/9 14,5/10	6e jour de jeûne. Plus de selles. Haleine puante. Bonne humeur.
10	M S	53 53	92 92	37 36,6	15/12 12/8	7e jour de jeûne. Esprit léger. Bonne concentration ; très active.
11	M S	52 52	104 92	36,8 36,8	11/7 14/9	8e jour de jeûne. Euphorie et grande activité.
12	M S	52 52	92 84	37 36,7	11/8 13/9	9e jour de jeûne. Fatiguée, disponible. Période de vrai repos ; le cœur s'apaise.
13	M S	51,5 51,5	84	37 37	12/8,5	10e jour de jeûne. Frilosité ; sans faim ; légèreté. Eau : 1 litre par jour.

14	M S	51,5 51	88 72	37 37	12,5/9 12,5/8,5	11e jour de jeûne. Insomnie. Eau à la bouche devant des fruits, mais pas faim.
15	M S	50,5 50	96 88	37 37	11/7 9/6	12e jour de jeûne. Forte odeur cadavérique de tout le corps
16	M S	50 50,5	88 88	37 36,7	13,5/11 12,5/10	13e jour de jeûne. Quelques vertiges et somnolence. Très active.
17	M S	50 51	100 84	36,8 36,8	8,5/6 15/12,5	14e jour de jeûne. Vertiges, faiblesse, irritabilité.
18	M S	50,5 50	88 68	37 36,8	9,5/7 13,5/10	15e jour de jeûne. Langue chargée et puanteur terminées. Bonne conversation.
19	M S	49 49	84 84	36,8 36,8	9/7 12/9	16e jour de jeûne. Très active. Quelques vertiges ; bons exercices.
20	M S	49 49	100	36,7 36,8	11/9	17e jour de jeûne. Sommeil très rétréci. Choquée par un autre patient.
21	M S	49 49	88 72	36,6 36,8	10/7,5 12,5/8,5	18e jour de jeûne. Quelques faiblesses. Tension : 13/7 après bain de source.
22	M S	48,5 48	88 84	37 37	9,5/7,5 12,5/10	19e jour de jeûne. Vie plus ralentie. Grande lucidité. Tension normale après bain.
23	M S	48 49	92	37	10,5/8	20e jour de jeûne. Sensation de vraie faim. Reprise alimentaire : jus de cuisson de légumes.
24	M S	49	96 92	37	10/6,5 9/6,5	Jus de cuisson de légumes, puis légumes. Les exercices continuent.
25	M S	50	92	37	10,5/7,5	Légumes. Un jus d'orange en deux prises.
26	M S	52	94	36,7	12/7	Salades, millet.
27	M S	53	96	37	13/8	Lucidité, calme, joie de vivre. Selles normales.
28	M S	54	96	37	12,5/7,5	Bon appétit ; bon sommeil.
29	M S	54,5	94	37	13/7	Délicieux repas végétaliens. Mélancolie du départ pour demain.

son poids réel de 54 kg dont elle ne bougea pour ainsi dire plus, et ce sans un pli : les séjours quotidiens sous l'eau des cascades avaient retendu les chairs, rajeunies par la pureté interne ; la volonté se lit maintenant dans la clarté du regard et les disciplines nouvelles (diététique, drainage lymphatique...) qu'elle adjoignit à son métier d'esthéticienne sont au bénéfice de ses clients. Nous ne serions pas étonnés de voir un jour s'inscrire en lettres vertes, sur son officine, cette phrase de Paul Valéry : *« Rien n'est plus profond que la peau »*.

3. Jeûnes cliniques et jeûnes créatifs et spiritualisés

Il est certain que le jeûne moyen ou long d'un malade en grand état de crise nécessite un doux repos physique et moral. Mais n'oublions pas que repos, en dehors des maladies aiguës, n'est pas synonyme d'inactivité : reposer son corps et son esprit ne serait-ce pas surtout les livrer à des actes qui soient ressentis non comme un travail mais comme une œuvre, à des actes dans lesquels corps et esprit participent tous deux sans dissociation, dans l'oubli de soi ?

La plupart des jeûnes accomplis en milieu clinique sont menés sans aucune participation du patient lui-même : comme dans n'importe quel centre hospitalier, le patient, logé en chambre individuelle ou collective, reçoit la visite quotidienne du médecin traitant venu constater l'évolution de son état et converser quelques minutes avec lui. Le patient reste livré à lui-même et son organisme subit le jeûne comme une drogue quelconque qu'on lui aurait prescrite ; son état de prostration s'accentue et il reste en position infantile, irresponsable, se plaignant, geignant, s'inquiétant, et les soins qu'on lui accorde alors ne font que renforcer son ego. D'autant que dans un jeûne long on ne peut noyer l'angoisse qui le rendit nécessaire : on ne trompe plus son appétit avec des aliments impropres à nourrir, avec des cigarettes, des boissons alcoolisées ou caféinées, des distractions auditives, tactiles ou visuelles. Et l'absence des 3 repas quotidiens habituels et du sommeil qui se raccourcit au fur et à mesure du jeûne, les journées durent souvent 20 h et ce n'est pas en s'ennuyant (du latin *in odio* : se prendre en haine) qu'on retrouvera le goût du temps qui passe.

Les jeûnes curatifs réclament donc un repos justifié du corps en lutte avec un virus, un microbe, ou d'un organisme infirmé retrouvant peu à peu son équilibre physique et psychique et ses immunités naturelles ; il semble évident que, dans ces premiers pas vers la revitalisation, toutes les forces restent mobilisées contre l'agression ou contre les déficiences.

Il faut, en jeûnes longs préventifs, ménager aussi des plages de repos à chacun suivant ses rythmes biologiques, autant qu'il est nécessaire et d'une manière diversifiée pour tous. Pour le reste il n'en est pas du tout de même, surtout si le patient a accompli avec bonheur son traitement préparatoire, s'il arrive en assez bonne forme physique, mentale et spirituelle, si sa foi dans le jeûne a augmenté, s'il est dans la joie d'aborder une ascèse où la maladie ne l'a pas encore acculé et qu'il a décidé de sa propre volonté, s'il a peu d'appréhension et pas trop de curiosité, il n'y a strictement aucune raison de le considérer comme un être diminué ou allant le devenir puisque le jeûne va justement le magnifier.

Si des maladies latentes s'éveillaient, si l'élimination trop forte créait quelque nouvelle toxicose, il serait toujours temps d'interrompre le jeûne.

Notre sœur Aliette, dans des dispositions tout à fait positives, aborda récemment un jeûne de quinze jours dans un centre en Angleterre ; très rapidement elle dut faire appel à sa seule volonté pour ne pas sombrer dans la prostration qui fut le lot de ses 18 compagnons de jeûne grognochant, gémissant à longueur de journée, engloutis, englués qu'ils étaient tous dans leur lit, leurs récriminations et plaintes. Elle fut la seule à s'astreindre à la marche et à la culture physique quotidiennes, à des travaux de jardinage, à des conversations avec les indigènes pour perfectionner une langue qu'elle connaissait peu. Elle évita ainsi toute délectation morose. La reprise alimentaire telle qu'elle fut pratiquée, avec des repas abondamment céréaliens dès le 4e jour, aurait détruit pour elle le bénéfice du jeûne si elle n'avait eu à ce sujet quelques lumières qui lui permirent de se guider raisonnablement.

Ce qui surtout la frappa fut l'absence totale d'humanité et la solitude dans laquelle furent laissés les patients. Le maître des lieux, d'obédience orientale, considérait peut-être cela comme une épreuve complémentaire nécessaire ?

Quoi qu'il en soit, nul n'en sortit glorifié... Peut-être quelqu'écho subsistera-t-il, qu'ils entendront par la suite !

Dans les jeûnes longs préventifs les difficultés que rencontrent les patients sont extrêmement diversifiées. Les premiers jours sont pénibles parce que la fausse faim est ressentie avec force et que l'élimination cause de nombreux malaises (maux de tête, névralgies, langue chargée, quelquefois vomissements, maux de cœur, transpirations nocturnes, cauchemars, insomnies...) et le patient pressent, à juste titre, que s'il remange il se sentira tout de suite mieux ; effectivement l'ingestion bloquera l'élimination et les malaises qu'elle provoquait disparaîtront instantanément.

Plus un organisme est encombré de déchets physiques et moraux, plus l'appétit est grand car il faut absorber pour stopper le processus d'élimination et se sentir moins mal ; on ajoute de fait de nouveaux poisons pour empêcher la sortie des anciens... jusqu'au jour où tout craque et voilà la maladie qui réclame l'adjonction d'autres poisons encore, entraînant la mort prématurée.

Ce que nous nommons la vie, en Occident, n'est en général devenu que ce cycle infernal dont nous voyons la preuve durant les premiers jours de jeûne.

Si le jeûne long n'est pas interrompu à ce premier stade, le corps commence avec plus de calme son profond nettoyage ; l'esprit devient alors très disponible et, s'il n'est pas occupé d'une manière réellement positive, les poisons de la mémoire (souvenirs, calculs, préméditations, préjugés, tabous, inhibitions, exhibitions, remords...) vont envoyer leurs ondes négatives qui rencontreront de moins en moins d'obstacles ondulatoires dans le corps purifié et l'intoxiqueront à nouveau par la seule mauvaise pensée.

Nous purifions le sang, purifions aussi l'esprit mais non en le noyant dans des activités distractives telles que les profusent les loisirs organisés, mais dans une purification de tout l'être qui sera capable de le faire accéder à l'originalité qui lui fut donnée avec la vie et qu'il se doit de restituer à ses semblables et à tout ce qui vit, afin de servir l'évolution, afin de s'épanouir et d'épanouir tout ce qui l'entoure et dont il doit se sentir responsable, non avec une vision personnalisée mais avec une vision universelle.

Il faut quitter le **Moi** égoïste et génocide qui ne réclame que des droits pour retrouver le **Je** actif et bienveillant qui n'a plus que des devoirs.

D'où la nécessité de ces jeûnes longs créatifs et spiritualisés apportant, en plus d'une régénération corporelle, une fluidité spirituelle d'où tout racisme se trouvera exclu : comment aimer quiconque, ou quoi que ce soit, alors que nous sommes divisés en nous-mêmes par des cloisonnements infranchissables que sont la séparation du mental, du physique et du spirituel ?

Et si nous nous mettons en mesure de nous prendre à la légère, peut-être retrouverons-nous le grand sourire : celui du bon accueil où rien, ni personne, ne demeure étranger.

TROISIEME PARTIE

les jeûnes longs créatifs et spiritualisés

« Ce que je donne me rend plus riche en m'allégeant. »
A. S.

CHAPITRE X

Pratique

1. Préambule

Le traitement préparatoire, comme nous l'avons souligné précédemment, est aussi important pour le jeûne préventif long créatif et spiritualisé que pour le jeûne long simplement clinique.

Il n'y a pas de généralités quant à cette préparation : chacun de nous est un être unique qui doit trouver, avec la complicité d'un guide plus avisé que lui-même, les disciplines convenant le mieux sans brutalité à son propre tempérament, à ses propres lésions, à son propre mode de vie.

Quant au jeûne long spiritualisé et créatif lui-même, nous allons vous en donner un aperçu rationnel et général apte à se livrer à toutes les nuances que comporte chaque individu : il n'y a pas deux feuilles semblables sur un même arbre.

2. Moments et lieux souhaitables

Dans des régions de climats tempérés doux, comme celles du Sud de la France, les jeûnes longs préventifs peuvent s'accomplir heureusement toute l'année, mais notre prédilection ira pourtant aux saisons plus chaudes s'étalant de mars à octobre. Cette préférence n'a plus lieu d'être si les lieux sont régis par des micro-climats, assez répandus en Haute-Provence.

Nous préférerons, aux abords trop humides des mers trop remuantes — « toujours recommencées » — ceux des montagnes (toujours dans des régions de climat tempéré doux ou chaud) dont l'altitude se situera entre 700 et 1 000 m. Là nous y trouvons encore la pureté de l'air et de la lumière, l'ensoleillement, le silence et le calme, des sites peu fréquentés, une nature encore peu dévastée (pour ce qui est de la flore sauvage car la faune, hélas ! devient rare partout).

La proximité d'un lac sera tout à fait bienvenue ; celle d'une eau courante pure, de préférence cascadante et semée de bassins naturels, absolument exigée : nous reviendrons par la suite sur cette nécessité de la revitalisation de tout l'être par l'eau des sources, semblable à celle du baptême et de la purification.

La diversité, la prolifération de différentes espèces d'arbres sont souhaitées ; nous insistons tout particulièrement sur la présence d'oliviers qui confère calme, douceur et force, et sur celle de pins ou de sapins dont les vertus balsamiques ne sont plus à vanter !

Les arbustes ou arbres fruitiers sauvages et les arbres fruitiers potagers (s'ils sont de culture biologique) sont aptes à assumer par leurs fruits gonflés de fraîcheur et de soleil une excellente reprise alimentaire.

Les plantes sauvages (orties, pissenlits, plantains...) proposent avec bonheur leurs couleurs, formes et parfums pour les promenades botaniques et la nutritivité de divers éléments au retour de la vraie faim.

La maison de séjour doit être claire, fraîche, aérée, propre, bien pourvue de commodités sanitaires, de chambres simples, d'une bibliothèque riche d'ouvrages essentiels sur les thèmes les plus divers, d'un piano, d'une chaîne haute-fidélité et d'une très complète discothèque, d'appareils enregistreurs et reproducteurs, d'une table de massage, de bonnes sources de chauffage collectif et individuel, de possibilités de pratiquer la plupart des disciplines artisanales ou artistiques, d'une pharmacie largement pourvue en remèdes d'urgence de toutes les disciplines médicales (naturopathie, homéopathie, aromathérapie, oligothérapie, allopathie...), remèdes pouvant pallier rapidement tous les accidents de parcours du jeûne lui-même ou de la reprise alimentaire.

La cuisine sera riche en aliments biologiques de base ; il serait bien d'y trouver aussi une marmite Mono, un moulin à céréales, un four à bois, un mixeur, une centrifugeuse.

Il faut aussi une terrasse, ou un jardin, où l'on puisse évoluer nu sans troubler le voisinage.

N.B. : Pour qu'un jeûne long créatif et spiritualisé soit bien mené d'un bout à l'autre, il convient que les jeûneurs soient en nombre impair (s'ils sont plus de deux) et jamais plus de cinq ou sept pour un seul meneur de jeûne. Ce petit groupe se doit d'être mixte et n'exclut ni personnes âgées ou jeunes, bien au contraire.

Si le guide du jeûne n'était pas médecin, il se doit d'être en liaison constante avec un docteur naturopathe (ou du moins sympathisant avec cette discipline) et prêt à intervenir à la moindre alerte grave.

3. L'emploi du temps

Durant un jeûne préventif long spiritualisé et créatif, on ne respecte que l'ordre des diverses disciplines ; les horaires, eux, sont extrêmement variables.

Si les jeûneurs sont plusieurs, le rythme de chacun va créer peu à peu un rythme spécifique au groupe. Les cours sont collectifs (sauf la conversation intime et quotidienne que le guide doit à chacun) et on peut s'en dispenser partiellement ou totalement... selon de réelles nécessités de repos.

1)	Lever (heures définies par la saison).
2)	Prises de température, pouls, tension ; pesée.
3)	Ablutions.
4)	Exercices de respiration profonde.
5)	Vocalises et chant.
6)	Audition de chant grégorien, de textes sacrés ou de poèmes.
7)	Conversation.
8)	Exercices de définition de mots (concrets et abstraits).
9)	Mouvements de culture physique.
10)	Exposition solaire des parties sexuelles.
11)	Quartier libre ou repos.
12)	Promenade botanique vers la source.
13)	Baignade à la source.
14)	Retour en pratiquant la méthode du parcours naturel (Hébertisme).
15)	Quartier libre ou repos.
16)	Activités ménagères.
17)	Activités artistiques ou artisanales.
18)	Lecture ou prière (à voix haute).
19)	Quartier libre ou repos.
20)	Ablutions.
21)	Prises de température, pouls, tension ; pesée.
22)	Coucher.

N.B. : Les initiatives personnelles (autres activités, repos complet, promenades, etc...) sont bien acceptées et même souhaitées mais il faut en référer au guide du jeûne et nul ne doit s'éloigner du lieu d'habitation sans son autorisation ; il doit être à même, à chaque instant, de trouver chaque membre de son groupe (non par autoritarisme mais pour éviter tout accident ou incident).

4. Définition des diverses disciplines de l'emploi du temps

I) Le lever

Les heures de lever varient suivant les saisons et les possibilités de chacun. On tente de se rallier le plus possible au rythme du jour lui-même en sachant bien que les heures de sommeil avant minuit comptent double. Pratiquement le lever coïncide en hiver avec celui du soleil, et deux ou trois heures après son apparition à la belle saison.

II) La prise de température, pouls et tension ; pesée

Le naturopathe traitant passe chaque matin dans les chambres pour constater les variations de la température et du poids, prendre le pouls et la tension.

Chaque patient tient lui-même à jour sa feuille de cure et éprouve souvent le besoin de tenir un journal de son jeûne.

III) Les ablutions

Elles se font à l'eau courante froide ou tiède suivant la saison, sans savon, ni dentifrice (voir le chapitre « Jeûne et hygiène corporelle »).

IV) Les exercices de respiration profonde

Il convient, dès le lever, de faciliter les échanges organiques par une respiration profonde. Le patient constate peu à peu avec acuité que l'air est bien notre première nourriture. Ces exercices se pratiquent en groupe ; ils sont au nombre de 4 ou 5 et durent environ 3 mn chacun. En voici un exemple dont la vertu est de renforcer l'électromagnétisme :

Fixer une punaise sur le mur à hauteur de ses yeux, reculer de 2 m, trouver en restant debout une position parfaitement droite et sans aucune raideur, ne pas cesser de fixer la punaise durant tout le temps de

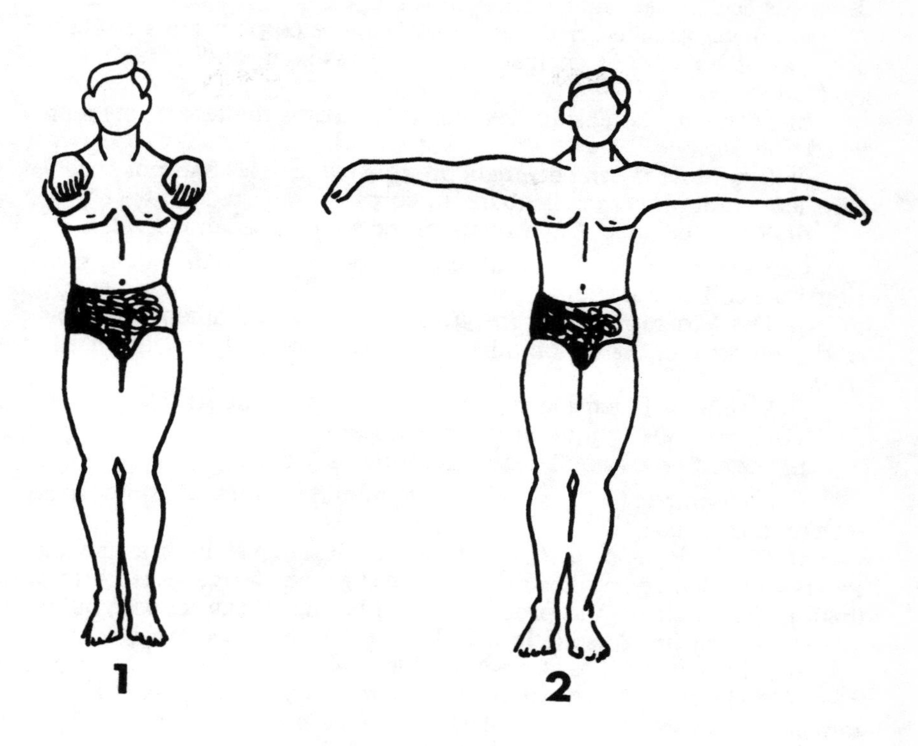

Exercice de respiration profonde

l'exercice, faire 5 inspirations et expirations rapides et forcées, pointe des pieds écartées et talons joints, puis :

a) Elever parallèlement les bras devant le corps jusqu'à hauteur des épaules en 7" tout en inspirant ; les bras sont tendus, les mains pendantes.

b) Maintenir la tension des bras et les mains molles en rétention de souffle durant 4".

c) Expirer en 7" en détendant progressivement les bras qui restent dans leur position perpendiculaire au corps.

d) Rester détendu 4" en rétention de souffle, poumons vides.

Cet ensemble (a, b, c, d) est reproduit 3 fois de suite sans interruption. Ensuite :

e) Dès le début de la 4e inspiration lente de 7", ramener les bras tendus en arrière, mains toujours pendantes, jusqu'à la position de la croix.

f) Maintenir la tension durant 4" en rétention de souffle.

g) Expirer en 7" tout en détendant les bras.

h) Rétention du souffle de 4", poumons vides.

Cet ensemble (e, f, g, h) est reproduit 3 fois de suite sans interruption. Puis :

i) Dès le début de la 7e inspiration lente ramener les bras devant soi en les tendant, doigts des mains droite et gauche dirigés et tendus les uns vers les autres, le plus proche possible les uns des autres sans qu'ils se touchent en fin d'inspiration de 7".

j) Maintenir souffle et position durant 4".

k) Expirer en 7" en détendant progressivement les bras et en les ramenant vers soi avant de les laisser tomber le long du corps.

V) Les vocalises et le chant

a) Vocalises

Chacun, à tour de rôle, durant 5 à 8 mn, fera des vocalises qui lui seront dictées par un piano enregistré, ou mieux encore par un piano en direct. Ces vocalises se chantent sur des « oui » et des « ou » qui, comme le AUM tibétain, permettent tout le phénomène de la production des sons, de la plus grande ouverture à la plus petite.

Les « oui-ou » seront d'abord :

I) piqués : oui-ou-ou-ou-oui, puis

II) filés : ouiouououououi

pour permettre des mouvements différents à toute la soufflerie présidant à l'émission de la voix.

N'oublions pas que si les sonorités se matérialisent dès la racine de la langue pour finir sur les lèvres, psychiquement elles se forment dès le bas de la colonne vertébrale pour aboutir au sommet du crâne, au niveau de la glande pinéale qui orchestre tout le système hormonal de l'être.

R. Tagore a écrit : « *Dieu me loue si je fais bien mais Dieu m'aime si je chante* ». En effet parler ou chanter justement c'est s'unir à toute la Création, c'est faire vibrer l'air qui est à l'intérieur à l'unisson de l'air qui est à l'extérieur.

N'oublions pas qu'entendre n'est jamais que la troisième fonction de l'oreille qui n'est rien de plus qu'un morceau de peau différenciée : on peut entendre avec d'autres parties du corps, et même avec le corps entier. La première fonction de l'oreille est d'assumer la recharge électrique du cerveau (la deuxième régit notre équilibre).

Un être qui entend certaines sonorités justes, sacrées (comme le AUM) est profondément tonifié. Durant un jeûne long le chant, comme la voix parlée, devient une nourriture essentielle au même titre que l'air, la lumière, l'eau...

Le docteur Tomatis déclare : « *Un cerveau qui médite a énormément besoin d'électricité. Nous avons en réalité besoin de 4 heures et demie d'informations par jour à raison de 3 milliards-seconde d'information. Or, c'est par le langage, la voix, les sons que nous réalisons cette recharge corticale* » (1).

Il n'est pas étonnant que certaines sonorités créent des toxicoses, comme l'alcool ou la viande, et d'autres une libération, comme les fruits ou le jeûne. Certaines sonorités ne flattent que nos parties basses, viscérales, et sont aptes à nous infirmer spirituellement en exacerbant notre sexualité. On sait maintenant que la musique pop a le pouvoir de faire flétrir les végétaux (voir à ce propos notre chapitre « le chant grégorien »).

N'oublions pas non plus que la musique est une forme d'expression dont on peut impartialement juger : un do dièse n'est pas un si bémol.

b) Chant

Chaque patient, à son tour, travaille et répète une chanson (comme *Le Cantique du soleil* de François d'Assise ou *Les Vaissaux* de G. Fauré).

---

1. Extrait de « *Guitare et Musique* » nouvelle série, n°s 2 et 3 : « Conversation avec le docteur Tomatis ».

N.B. : La source sonore d'accompagnement doit surtout toucher l'oreille droite du chanteur (les circuits de droite sont ceux qui permettent la rapidité de la reproduction sonore : la justesse de la voix).

VI) Audition de chant grégorien, de textes sacrés ou de poèmes

Cette discipline est un prolongement de la précédente où l'être continuera de se réharmoniser.

a) Grégorien : voir notre chapitre « Le chant grégorien ».

b) Textes sacrés : quelques minutes d'audition de textes soit d'obédience occidentale (*Le Sermon sur la montagne, L'Ecclésiaste, Sermons de maître Eckhart...),* soit d'obédience orientale (le *Tao-Té-King, L'Invariable milieu, Les Upanishads...).*

c) Poèmes : quelques minutes d'audition de poèmes classiques (Hugo, Baudelaire, Elliot, Shakespeare, Jean de la Croix...).

N.B. : Ces auditions ne sont pas successives mais alternées : un seul thème de réflexion par jour.

VII) Conversation

Cette conversation peut être collective ou privée : conversation générale ou par groupe de deux sur le thème qui vient d'être évoqué par la précédente audition.

VIII) Exercices de définition des mots

Lorsque Spinoza, dans ses écrits, emploie un mot avec un sens différent de la définition courante, il a l'intelligence et la politesse de l'expliquer. Si nous donnions tous le même sens au même mot il serait sans doute plus facile de se comprendre.

Le pain, par exemple, est certes un aliment composé de farine, d'eau, de sel, de levain, pétri, fermenté et cuit au four mais il n'évoque pas les mêmes images pour la plupart de nos contemporains qui le consomment sous forme de baguette jaune, blanche et molle, insipide et générateur de malaises, et pour quelques rares privilégiés qui le composent à partir de farine complète biologique lui donnant une couleur brune presque noire (pain total) et qui en font leur aliment de base, générateur de force et de santé.

S'écouter et s'entendre est le premier pourquoi de cette discipline.

Un mot, pioché au hasard, est livré à la compréhension de chacun et tous, après réflexion, inscriront leur propre définition sur un papier. Ensuite chacune sera commentée puis comparée à celle du grand dictionnaire Robert qui peut elle-même être remise en question.

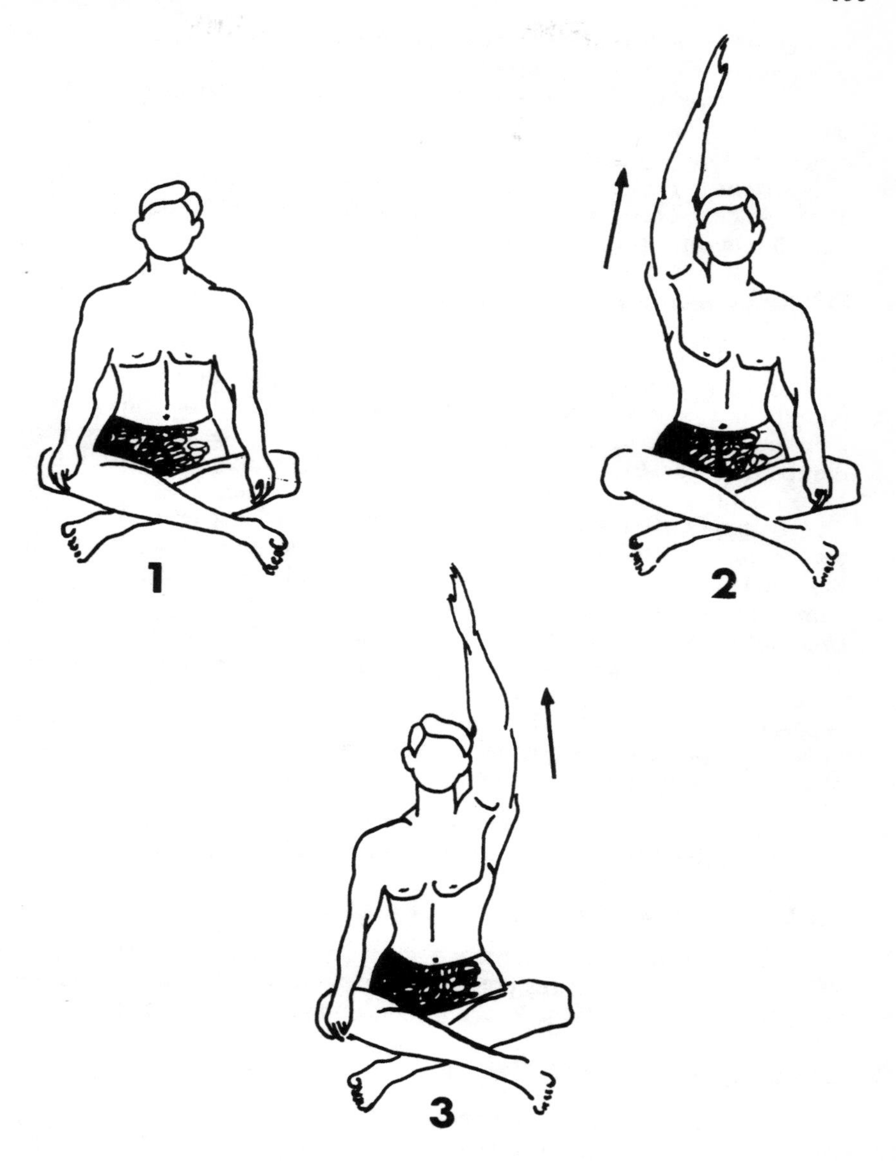

Exemple d'exercice de culture physique pour la bonne tenue de la colonne vertébrale
(voir parag. IX, page suivante)

On aborde tout d'abord des mots concrets (table, chaise, arbre...) puis des mots abstraits (liberté, constance, tendresse...).

Cette exercice fait aussi perdre l'habitude de parler sans très bien savoir ce que l'on veut dire ; il redonne lucidité, entendement, concentration et gravité.

« Dans le principe il y a le Verbe et le Verbe c'est Dieu » est-il écrit dans l'Ancien Testament, et Paul Valéry ajoutait que si l'on s'exprime mal chaque mot prononcé raccourcit la vie.

IX) Mouvements de culture physique

Ces mouvements visent à corriger :

a) La colonne vertébrale, surnommée « l'arbre de vie » car c'est par elle que passent toutes nos sensations et que se font tous nos gestes ; bien peu d'entre nous l'ont en bonne posture. Ces exercices vont combattre lordose, scoliose et cyphose en redonnant à nos vertèbres le juste maintien musculaire nécessaire à leur rectitude.

Exemple d'exercice : s'asseoir en tailleur, reposer les poignets sur les genoux, rentrer le menton et chercher la position droite depuis la base de la colonne vertébrale jusqu'en haut de la nuque, penser que la cambrure ne se situe plus à hauteur des reins mais au milieu des omoplates puis élever main droite, bras tendu, et pousser vers l'arrière en deux temps, sans contrebalancer ce mouvement par une avancée de la tête et sans se retenir avec la main gauche à son propre genou ; reposer poignet droit, main pendante, sur le genou droit, élever main gauche en poussant le bras tendu vers l'arrière en deux temps, etc... alternativement main droite main gauche vingt fois de suite.

b) Toute partie musculaire du corps ayant besoin d'être reformée ou renforcée (cuisses, abdominaux, fessier, etc.).

X) Exposition solaire des parties sexuelles

Lorsque le soleil est chaud mais sans l'être encore trop, on lui expose pendant 10 mn ses parties sexuelles : gland décalotté ou lèvres maintenues écartées (voir le chapitre « Jeûne et ensoleillement »).

XI) Quartier libre ou repos

Chacun est libre maintenant de son temps pour se livrer à l'activité qu'il désire ou au repos ou au sommeil. On peut aller s'allonger sur une couverture posée à même la terre, complètement nu si c'est la saison chaude, à l'ombre d'un arbre, et se revitaliser ainsi par les courants telluriques et cosmiques.

XII) Promenade botanique vers la source

Si la rivière (le lac ou la source) n'est pas trop éloignée du lieu d'habitation on s'y rendra en se promenant à pied et en apprenant à reconnaître et nommer les végétaux sauvages. S'il s'agit d'une source peu profonde, il sera bon de remonter son lit afin de s'habituer peu à peu au froid de l'eau et de la laisser nous masser chevilles, mollets et souvent cuisses.

XIII) Baignade à la source

Là chacun laisse « l'ange de l'eau » lui infuser sa pureté et ses forces. La radio-vitalité d'une eau très courante et très pure varie entre 8 000 et 13 000 angströms, alors que souvent dans un jeûne avancé notre organisme est lui bien en dessous de sa norme de 6 500, ce qui se manifeste aussi par une faible tension : 8/7.

Une heure de baignade et d'ébats dans une source, sans même y boire, suffit à redonner une radio-vitalité et une tension normales (13/7). Nous avons constaté à plusieurs reprises cette revitalisation offerte par l'eau courante comme aussi tonifiante que celle que procure le chant ; c'est pourquoi nous n'envisageons plus un jeûne long sans ce bain de jouvence qu'apporte une source cascadante et pure.

« C'est vraiment le paradis » s'exclame chaque patient jouant de son corps nu dans cette eau vive parsemée de perles d'écume et de lumière où le perpétuel propose son bruit et ses mouvements de source.

XIV) Retour en pratiquant la méthode du parcours naturel

Si le jeûne n'est pas trop avancé ou la reprise alimentaire trop neuve, si le patient ne ressent à ce moment aucune faiblesse ou étourdissement, le retour de la source peut s'effectuer d'une manière moins calme. L'hébertisme, ou méthode du parcours naturel, utilise tous les obstacles d'un terrain campagnard (rochers, arbres, buissons, pierres, etc...) pour faire jouer dans la détente toutes nos potentialités musculaires : saut, course, ramper, lancer, porter, quadrupédie, grimper, etc...

N.B. : Quelques dizaines de secondes suffisent pour chaque discipline, et on n'est pas obligé de les accomplir hâtivement.

XV) Quartier libre ou repos

Idem paragraphe XI.

XVI) Activités ménagères

Chaque patient, si son état le permet, assume la propreté de sa chambre et de l'ensemble des locaux communs ainsi que celle aussi de son linge.

A la reprise alimentaire, chacun participe à la cueillette des légumes et des fruits, aux courses, à la cuisine proprement dite.

XVII) Activités artistiques et artisanales

Chacun, conseillé et guidé, s'adonne à une ou plusieurs activités artistiques ou artisanales de son choix : musique, peinture, dessin, sculpture, poterie, tissage, comédie, tricot, travail sur cuir ou bois, etc...

XVIII) Lecture ou prière (à voix haute)

Chacun, retiré en sa chambre, et selon sa foi, priera à voix haute ou bien articulera distinctement un texte de son choix.

XIX) Quartier libre ou repos

Idem paragraphe XI.

XX) Ablutions

Idem paragraphe III.

XXI) Prises de température, pouls, tension, pesée

Idem paragraphe II.

XXII) Coucher

Comme pour le lever, les heures de coucher sont régies par les saisons et le rythme de chacun. Nous répétons cependant que les heures de sommeil prises avant minuit comptent double.

5. Pour faire taire quelques inquiétudes

Pour tous ceux qui croient que jeûne est synonyme d'inanition, l'emploi du temps qui précède semblera folle élucubration. Notre devoir est pourtant de les informer que ce programme fut tenu entièrement durant des jeûnes de 21 jours et que chaque participant en ressentit d'immenses bienfaits.

Une des patientes au vingtième jour de jeûne scia du bois pendant trois heures ; la position penchée qu'elle dut adopter pour cette tâche lui occasionna deux courts étourdissements qui disparurent dès qu'elle se fut allongée quelques minutes.

Nous eûmes l'occasion de croiser un homme de 30 ans qui venait d'accomplir un jeûne de 28 jours dans une clinique ibérique ; il nous raconta qu'au vingt-cinquième jour il avait éprouvé une irrésistible envie de nager longtemps : il plongea dans la piscine de l'établissement et crawla durant 1 000 mètres et les multiples retournements qu'il accomplit sur un bord et l'autre de ce bassin de 33 m ne lui occasionnèrent aucune faiblesse.

Nous avons rencontré un couple de sexagénaires qui revenaient tout souriants d'une marche de 30 km à leur quinzième jour de jeûne.

Nous ne savons rien des forces qui sont en nous car notre paresse nous intime justement de les faire taire et le jeûne nous révèle les méfaits de ces infirmités inconsciemment désirées et toutes nos possibilités d'énergie ainsi que la douceur de vivre et les joies primordiales et simples : le respir, le boire, le manger, le dormir, l'amour, l'écoute, le parler qui nous font paraître toutes distractions extrêmement ennuyeuses car elles nous empêchent de vibrer à l'unisson de tout ce qui nous entoure réellement.

Jeûne est donc synonyme d'euphorie et non d'anéantissement si nous ne le pratiquons qu'en nous référant à notre libre arbitre et dans les conditions optimales qui viennent d'être énumérées.

N'allons pas crier pour autant aux enfants du Sahel que le jeûne est bénéfique mais apprenons-leur à se nourrir et à nous nourrir de presque rien afin de n'acculer personne à la famine.

Connaîtrons-nous jamais nos réelles possibilités ? Apprenons dès maintenant à les mesurer afin de n'y jamais contraindre personne et de n'y être contraint soi-même : que savaient-ils encore de leur force ces condamnés de Dachau ou Tréblinka qui, à l'état squelettique, trouvaient l'énergie primordiale de creuser le béton des chambres à gaz avec leurs seules mains ?

CHAPITRE XI

Symptomatologie des jeûnes longs et de leur reprise alimentaire

1. Généralités

Nous allons aborder maintenant quelques exemples « d'accidents de parcours » pouvant survenir durant un jeûne long et sa reprise alimentaire, non sans avoir souligné auparavant quelques généralités à ce propos :

a) On peut tomber malade, ou même mourir, durant un jeûne, de même qu'on tombe malade et meurt en dehors des jeûnes.

b) Les symptômes morbides durant un jeûne sont pour la plupart des symptômes d'élimination, de purification de l'organisme, donc de guérison. Plus le patient est intoxiqué (carnivorisme, alcoolisme, obésité, etc...), plus les symptômes sont violents ; c'est pourquoi les jeûnes longs doivent être précédés de périodes de préparations (jeûnes courts et moyens, régime alimentaire, etc...) afin que le patient apprenne à connaître ses possibilités et ses infirmités. Les symptômes les plus violents se constatent surtout au début du jeûne long (nettoyage de surface) et de la reprise alimentaire si cette dernière est mal menée. Le reste du temps, lorsque les poisons s'éliminent en profondeur, au niveau de chaque cellule, les réactions sont très calmes et un grand bien-être est souvent ressenti.

c) La plupart des accidents ont surtout lieu durant la reprise alimentaire, lorsque l'organisme réaborde l'aliment alors que souvent les mucus et les poisons n'ont pas tous été éliminés et qu'il se produit un bloquage dû à l'abondance des restes toxiques. D'où l'importance d'une reprise alimentaire lente, douce, et au commencement plus drainante que nutritive.

d) Certains symptômes chroniques (sinusites, pertes blanches, éruptions cutanées, etc...) peuvent amplifier encore leurs effets comme au cours d'une crise aiguë ; il n'y a pas lieu de s'inquiéter.

e) Le jeûne long peut faire réapparaître les symptômes de maladies anciennes qui furent soignées avec des moyens chimiques trop brutaux (voir au mot *blennorragie* dans le répertoire qui suit).

f) Le jeûne long peut aussi présider à la naissance de malaises qui ne se seraient manifestés que beaucoup plus tard (exemple : coliques néphrétiques ou biliaires) ; on évite ainsi préventivement des interventions chirurgicales qui vont quelquefois jusqu'à l'ablation de l'organe infirmé.

g) Si malgré sa bonne volonté apparente, un jeûneur était encore inconsciemment profondément enfoncé dans son ego, ses angoisses et ses agressivités peuvent se révéler dangereuses pour lui et ses compagnons : auto-intoxication psychique (voir le paragraphe « Le masque arraché »).

2. Petit répertoire symptomatologique

Acétone (crises d') ou acétose

C'est une variété d'acidose qui procure vomissements et urines à très forte odeur d'acétone ; elle est due à l'accumulation de corps cétoniques, provenant de la dégradation des albumines et des graisses ; si ces corps ne sont éliminés suffisamment par les voies urinaires, ils envahissent l'organisme du malade et peuvent mener jusqu'au précoma et coma diabétiques.

Si malgré l'ingestion d'une (ou plusieurs) cuillerée à café de miel lentement mastiqué, apte à faire redémarer le métabolisme, les symptômes s'aggravaient, il serait justifié d'interrompre momentanément le jeûne.

Agressivité

Durant les premiers jours du jeûne, les malaises que procurent l'élimination et l'impossibilité de tromper la fausse faim peuvent créer chez le patient un état d'impatience, de mauvaise humeur, voir même d'agressivité. Si le jeûneur n'avait la force de prendre cette irritabilité à son compte et d'en sourire, s'il la retournait contre ses compagnons, il faudrait une ferme et douce intervention du meneur de jeûne ; ces crises peuvent se produire à n'importe quel moment du jeûne (voir le paragraphe « Le masque arraché »).

Bile

Un des premiers résultats du jeûne étant l'élimination de tous les superflus (kystes, tissus adipeux...), si le patient est nanti d'une vésicule biliaire encombrée, il peut être atteint de coliques biliaires douloureuses. Ce genre d'accident, ainsi que celui occasionné par les coliques néphrétiques, auraient plutôt tendance à se produire durant la reprise alimentaire.

Si le patient le souhaite, si son état le permet ainsi que le temps dont il dispose, le jeûne peut se prolonger jusqu'à l'élimination totale des calculs. L'épouse de notre ami André Passebecq fit récemment un jeûne en ce but et sa vésicule put se libérer au quarante-septième jour de jeûne.

Blennorragie

On a pu constater, au dix-huitième jour d'un jeûne long, chez un patient, tous les symptômes d'une blennorragie : goutte matinale, écoulement abondant, sensation de « pisser des lames de rasoir »... mais sans gonocoques. Ce garçon avait été traité, quelques années auparavant, pour une chaude-pisse aiguë, aux antibiotiques et son organisme qui avait été choqué par une médication trop brutale, sans correspondance avec ses rythmes biologiques, restituait 5 ans plus tard, des manifestations morbides trop promptement éliminées.

Cette blennorragie « platonique » disparut une vingtaine de jours plus tard, peu après la fin de la reprise alimentaire. Le temps de ses symptômes correspondit à la durée d'une guérison de blennorragie aiguë par des moyens diététiques (baies et bourgeons de végétaux sauvages, jeûne...).

Boulimie

Les sujets qui ne jeûnent que pour des motifs superficiels (esthétisme ou ésotérisme) peuvent être possédés par une boulimie alimentaire ou philosophique : ils vous narrent, au matin, leurs rêves de la nuit tout peuplés de mets nombreux, tout particulièrement indigestes et inassimilables, ou d'ouvrages très littéraires qu'ils auraient dévorés...

Cette fausse faim révèle d'habitude chez le patient qui en est atteint une répulsion à perdre sa personnalité, à quitter son ego, et à aborder originalement et originellement la vie. Cette volonté d'infantilisme risque de lui coller à la peau encore longtemps malgré un éveil apparent : il voulut le jeûne sans être absolument prêt à l'assumer ; il arrive, quoiqu'on en pense, que le conscient soit plus conscient que l'inconscient et désire ces noces définitives où ils s'anéantiront l'un dans l'autre et présideront à la naissance de l'indicible : la spontanéité.

Le meneur de jeûne a là une lourde tâche.

N.B. : *De l'influence du psychisme :* durant un jeûne long, à la pesée matinale, une patiente accusa entre 1 et 1,5 kg de plus qu'à la pesée de la veille au soir lorsque son sommeil de la nuit était peuplé de rêves gastronomiques.

Catarrhes

Dans les premiers mouvements éliminatoires d'un jeûne long, les manifestations catarrhales ont tendance à empirer (rhumes, rhinites, sinusites, affections rhino-pharyngées, bronchites, pertes blanches,...) ; il n'y a pas lieu de s'en formaliser.

Constipation

Les selles durant un jeûne long s'espacent considérablement ou disparaissent complètement ; il n'y a pas lieu de s'inquiéter. Si cet état persistait à la reprise alimentaire, il cesserait d'être normal. Il faudrait alors faire disparaître la cause du bloquage (matières fécales durcies, psychisme négatif, reprise alimentaire trop nutritive et insuffisamment drainante...).

Délectation morose

On la nomme de nos jours dépression nerveuse. Le patient qui en est atteint considère que *« plus ça va mal mieux c'est »*.

C'est la manifestation d'une fausse humilité où l'on tient pour vrai que rien n'est assez mauvais pour soi en en éprouvant beaucoup de satisfactions. Il arrive qu'un jeûneur s'y délecte lorsque ses réactions éliminatrices sont particulièrement fortes. Chaque cas étant unique, il appartient au meneur de jeûne de trouver la juste intuition pour une aide efficace.

Délire

Ce symptôme peut apparaître si le patient est profondément intoxiqué tant sur un plan physique (alcoolisme, tabagisme, opiomanie, empoisonnement médicamenteux...) que psychique (névrose obsessionnelle...). Il sombre alors dans une sorte de colique mentale qui s'exprime par une succession d'images apparemment sans suite qu'il déféquera par la parole. Il convient qu'il reste couché, bien au chaud, en compagnie d'une bonne âme qui aura la tendresse de lui tendre la main afin qu'il y pose la sienne.

Diarrhées

Elles ne se produisent durant le jeûne proprement dit que si l'on pratique des lavements. On peut y être sujet pendant les premiers jours de la reprise alimentaire si les éléments qui la composent sont surtout laxatifs.

Emotivité

Lorsque le jeûne long est bien avancé, le sang devient pur, fluide et la pensée claire, lucide ; tout l'être retrouve une grande sensibilité. Quelquefois la télépathie devient phénomène habituel ; le sujet comprend mieux, souffre davantage moralement ; il est sensible à la moindre disharmonie mais trouve aussi la joie.

Au dix-septième jour de jeûne, nous avons vu un patient tomber à genoux dans le lit de la source ; des larmes coulaient le long de ses joues et il souriait. Nos regards le firent se tourner vers nous et il dit simplement : *« Il y a deux ans que je viens ici presque chaque jour et je vois ce lieu pour la première fois ».* Ce jour-là en effet, notre jeûneur s'était promené en étant vide de tout souvenir, de toute préméditation, et le paysage lui était apparu dans sa réalité pour la première fois.

Chacun sait la fragilité des témoignages humains, la plupart du temps contradictoires, parce que liés à un ego qui ne cesse jamais son travail de projection, mais si l'on demandait à cinquante jeûneurs, dans le même état de lucidité et de vide, dans le même état de vacuité, de décrire un événement auquel tous auraient assisté, il est à peu près certain qu'aucun témoignage ne différerait.

Etourdissements

Il peut arriver qu'on soit saisi d'étourdissements surtout lorsque l'on quitte rapidement une position pour une autre — de la station assise à la station debout par exemple — ou lorsqu'on se penche en avant. Ils ne durent que quelques instants ; pour les éviter il suffit de se mouvoir avec plus de lenteur.

Euphorie

Dans un jeûne long créatif et spiritualisé on se sent souvent si léger, si fort, si heureux de vivre, qu'on éprouve souvent le besoin de manifester sa joie de mille manières... en omettant qu'une faiblesse reste toujours possible. Il faut donc éviter tout acte réclamant un long effort.

N.B. : Nous avons vu au vingtième jour de jeûne, un patient se livrer à une partie de pétanque avec des champions du village qui, eux, avaient très bien déjeuné. Notre patient était un joueur de force moyenne, mais durant la première partie tous ses tirs furent au fer et toutes ses boules contre le cochonnet. Il dit ensuite n'avoir rencontré aucun obstacle entre le geste et la pensée, dans une concentration tout à fait aisée et sans effort, mais sa seconde partie fut désastreuse : il n'avait plus aucun influx. Par la suite, il eut la sagesse de se faire remplacer une partie sur deux, ce qui lui permit de reprendre des forces et d'assurer à tous ses coups la même qualité.

Evanouissement

Durant les deux ou trois premiers jours de jeûne il peut arriver qu'on s'évanouisse (ce phénomène serait assez rare et nous ne l'avons nous-même jamais constaté). Il convient alors, si le patient est habillé, de desserrer ses vêtements, de l'amener à l'air, d'incliner son corps vers l'avant. Ensuite, dès qu'il revient à lui, un bon repos lui est salutaire.

N.B. : Il est tout à fait déconseillé de l'asperger d'eau froide : il lui faut de la douceur et non un choc.

Faiblesse

Les moments d'euphorie ou d'activités suivies peuvent être entrecoupés d'instants de faiblesse ou de lassitude extrême. Ces « coups de pompe » sont tout à fait normaux et passent très vite : il suffit, dès qu'on les éprouve, de s'allonger quelques minutes ou même de dormir si l'on en éprouve l'envie.

N.B. : Si ces instants se perpétuaient longtemps, il peut devenir nécessaire d'interrompre le jeûne.

Faim

La fausse faim, ou appétit, est ressentie au niveau de l'estomac ; elle est une faim d'habitude et ne correspond nullement à une nécessité nutritionnelle ; on éprouve le besoin de bourrer son estomac pour stopper les malaises qu'occasionnent le jeûne et ses processus d'élimination des poisons et mucus. Cette fausse faim est ressentie vivement durant les premiers jours de jeûne si le patient a accompli insuffisamment sa préparation ; elle disparaît totalement ensuite.

La vraie faim, qui préside en général à la reprise alimentaire, est ressentie — comme la vraie soif — dans la bouche et le gosier ; elle s'exprime dans le calme et ne crée aucune précipitation : on ne se rue pas sur la nourriture ; bien au contraire on l'aborde avec retenue, timidité, respect, on la considère, la hume ; quelquefois même on sanglote de joie dès l'ingestion de la première gorgée et on se jure alors de ne jamais plus remanger sans éprouver ces sensations tout à fait extraordinaires que procurent la vraie faim et son apaisement.

N.B. : Jeûne et reprise alimentaire nous ont fait constater la véracité de la réflexion du docteur Claunch :

« Une personne malade se sent faible avant d'avoir faim ; une personne saine éprouve la faim avant de se sentir faible. »

Frilosité

Une sensation de froid peut être ressentie au niveau des pieds et des mains, ou même de tout le corps ; elle est causée par une diminution de la circulation cutanée et nullement inquiétante.

N.B. : Il faut simplement éviter de prendre réellement froid et se tenir à distance des courants d'air : *« Fermez la porte ! »* est une phrase qui résonne souvent dans les lieux d'habitation des jeûneurs.

Gaz

Les patients très nerveux ou très infirmés au niveau du tube digestif peuvent être tourmentés par l'expulsion de nombreux gaz. Il convient de les aider à se détendre pour supporter sans heurts ces moments pénibles.

Hypocalcémie

Elle est le taux anormalement bas du calcium dans le sang et se manifeste par de longues tétanisations assez douloureuses. Nous ne l'avons vu signalée par aucun spécialiste du jeûne mais fûmes témoin d'un cas lors de la reprise alimentaire d'un jeûne de vingt et un jours.

N.B. : Les douleurs qu'elle cause s'apaisent après l'injection intraveineuse d'une ampoule de calcium.

Il convient ensuite de prescrire au patient un régime diététique recalcifiant.

Insomnie

La fatigue occasionnée journellement par une alimentation barbare n'a plus lieu d'être durant un jeûne long et la première conséquence en est le raccourcissement de la durée du sommeil. Une fois passées les premières crises d'élimination abondante, quatre ou cinq heures de sommeil par jour deviennent amplement suffisantes, surtout si l'on se couche avec le soleil. Les nuits peuvent donc paraître longues à certains s'ils se réfugient dans l'inaction, la délectation morose ou l'énervement, mais deviendront tout à fait bénéfiques s'ils les emploient à la réflexion, à la création ou à la conversation.

N.B. : Un de nos amis, actuellement âgé de 55 ans, frugivore depuis vingt ans, se livrant surtout à des travaux intellectuels ou spiritualistes, n'éprouve la nécessité que d'une demi-heure à une heure de sommeil par jour, bien que vivant en milieu urbain.

Langue (chargée)

Comme la mauvaise haleine, la langue chargée est le symptôme d'élimination des premiers jours de jeûne. Elle peut demeurer en cet état toute la durée du jeûne mais généralement elle rosit, peu à peu, bien avant la reprise alimentaire.

Lucidité

Voir « Emotivité » et « Euphorie ».

Mysticisme (crises de)

Plus le patient se livrera impulsivement, sans contrôle, à ses crises d'exaltation où il croira que *« c'est arrivé »,* plus il aura des périodes d'abattement où son lot deviendra la délectation morose (voir à ce mot) où il affirmera que *« c'était trop beau pour être vrai »* et que *« c'est bien fait pour lui, qu'il ne vaut pas un clou ».*

Au meneur de jeûne de freiner et canaliser ces moments de libération du patient de telle sorte que ne se referme sur lui une prison encore mieux fermée.

N.B. : Lire et commenter, par exemple, *La nuit obscure* ou *La montée du Carmel* de Jean de la Croix s'avère une bonne thérapeutique.

La pratique de l'écriture automatique peut se révéler aussi fort utile ; consulter l'ouvrage d'Hubert Benoît *Lâcher prise* (Courrier du Livre) où ce mode de libération est fort bien expliqué.

Nausées

Elles seraient « l'expression d'une réduction soudaine de la tension habituelle de l'estomac » ou de présence de bile dans celui-ci (voir à « Vomissements »).

Névralgies

Les névralgies, les maux de tête sont dus, la plupart du temps, à la brutale suppression d'aliments stimulants, pléthoriques ou narcotiques. Ils font aussi partie des symptômes d'élimination des premiers jours de jeûne long.

Peau

Les éruptions cutanées peuvent aussi faire partie des symptômes d'élimination des premiers jours de jeûne ; elles sont d'ailleurs plus fréquentes lors des jeûnes courts préparatoires.

L'organisme, de fait, emprunte toutes les issues possibles pour se libérer au plus vite de tous les poisons dont nous l'avions auparavant envahi.

N.B. : Le docteur Shelton signale des cas de pétéchie : « Petites taches pourpres qui apparaissent sur la peau et généralement accompagnées de fortes fièvres... Elles apparaissent chez des malades chez qui la nutrition est très incomplète... Dans de tels cas, j'ai toujours interrompu le jeûne immédiatement... Dans un seul cas le jeûne fut prolongé plusieurs jours et il n'y eut pas de conséquences fâcheuses. »

Poids (trop grande perte de)

Le poids normal d'un individu se situe approximativement à 10 kg de moins que sa taille exprimée en centimètres au-dessus du mètre ; un adulte de 1,80 m, par exemple, devrait peser 70 kg. Ce poids idéal varie selon l'état musculaire et la structure de la charpente osseuse de chacun. Pour ce même sujet de 1,80 m, le poids idéal peut s'étaler de 68 à 73 kg.

Au cours de jeûne long de 21 ou 28 jours, la perte de poids est en moyenne de 400 à 500 g par jour, mais elle dépend premièrement du poids initial du jeûneur au premier jour.

Voici deux petits tableaux explicatifs :

Tableau I

	Taille	Poids 1er jour	Poids 21e jour	Perte	Poids après fin reprise
Homme	1,80	70	61	9	70
Femme	1,63	55	47	8	54

Dans ce premier tableau, l'homme et la femme mis en cause possédaient un poids initial idéal qu'ils retrouvèrent à la fin de la reprise alimentaire.

Tableau II

	Taille	Poids 1er jour	Poids 21e jour	Perte	Poids après fin reprise
Femme A	1,70	80	60	20	65
Femme B	1,63	45	39	6	50

Dans ce second tableau, nous avons choisi deux cas extrêmes : celui d'une femme trop forte et celui d'une femme trop maigre. Nous avons pu remarquer que les pertes de poids se firent en fonction, pour l'une, de ses excès adipeux et, pour l'autre, de son peu de réserves. A la fin de la reprise alimentaire leur poids respectif (qu'elles gardèrent par la suite) n'était plus loin de la moyenne idéale.

Les personnes trop maigres supportent plus aisément le jeûne long que celles trop fortes : leur élimination est relativement insignifiante ; elles retrouvent plus aisément aussi leur poids réel... à condition pour elles, comme pour les autres, de ne pas retomber dans les mauvaises habitudes qui furent, la plupart du temps, causes de leurs troubles.

Ces généralités énoncées, il est bon de savoir qu'une trop grande perte de poids peut imposer une rupture de jeûne, afin de ne pas faire atteindre au patient le stade d'inanition, mais nous devons souligner que toute perte de poids trop élevée est précédée de symptômes persistants de grande faiblesse qui, à eux seuls, suffisent pour rompre un jeûne. Ces cas seraient extrêmement rares : au cours de sa longue pratique, le docteur Shelton n'en signale qu'un seul.

N.B. : Pour suivre le déroulement, jour par jour, d'une perte normale de poids consulter le tableau « *Feuille de cure durant un jeûne de 21 jours* ».

Pouls

Le nombre moyen de pulsations pour un individu adulte en bonne santé est de 72 par minute. Lors d'un jeûne long, comme d'ailleurs en dehors de lui, les pulsations peuvent devenir irrégulières, trop faibles ou trop rapides.

Ces symptômes doivent être considérés par le praticien en fonction de l'état spécifique de chacun.

N.B. : Consulter le tableau « *Feuille de cure d'un jeûne de 21 jours* ».

Reins

Le jeûne révèle quelquefois certains troubles latents, ainsi que nous le signalons dans le paragraphe « Généralités » de ce présent chapitre, et les coliques néphrétiques en font partie (bien qu'à notre connaissance nul praticien n'en ait fait antérieurement mention) ; nous les avons constatées lors de la reprise alimentaire chez une femme de 48 ans. Cette crise fut assez douloureuse et le médecin traitant ordonna un traitement qui favorisa l'évacuation des sables.

Température

Comme chacun le sait, la température normale d'un être humain est de 37°. Cette norme, lors d'un jeûne long, est, comme celles de la tension et du pouls, sujette à fluctuation.

Ces variations doivent être aussi considérées par le praticien en fonction de l'état spécifique de chacun.

N.B. : Voir *« Feuille de cure d'un jeûne de 21 jours ».*

Tension artérielle ou veineuse

Voici la définition qu'en donne le dictionnaire Garnier - Delamare (éd. Maloine) :

« Force élastique exercée par les parois artérielles ou veineuses sur leur contenu sanguin. Elle s'équilibre, en pratique, avec la force contractile du cœur transmise par le sang (pression artérielle ou veineuse) ; et les termes de tension artérielle ou veineuse, bien que correspondant à des notions physiques différentes, sont, en clinique, devenus synonymes. Tension différentielle : différence entre les tensions maximale et minimale. Tension minimale : elle est, à l'état normal, de 4 à 7 cm de mercure. Tension maximale : elle est, à l'état normal, de 12,5 à 14 cm de mercure... »

L'écart normal se situe donc aux alentours de 13 et de 7 ou de 6. Durant un jeûne long, cet écart et ces pôles peuvent être extrêmement fluctuants, comme en dehors des jeûnes, et sa prise bi-quotidienne est une nécessité, de même que celles de la température et du pouls (et le constat du poids), afin d'être renseigné sur l'état du patient et de pouvoir parer à tout incident.

Tétanie

Voir à « Hypocalcémie ».

Urines

Au commencement d'un jeûne long les urines sont souvent

foncées et très malodorantes, signes d'une bonne élimination. Elles se clarifient et perdent toute odeur au fur et à mesure du déroulement du jeûne.

Vomissements

Ils peuvent se produire durant les premiers jours de jeûne avec rejet plus ou moins abondant de bile et de mucus ; ils sont les symptômes d'une profonde intoxication et, s'ils persistent, de grands troubles nerveux. Leur persistance amène une grande déshydratation et une forte perte de poids. Le docteur Shelton déclare à leur propos : *« On doit obliger les jeûneurs à boire dans ce cas ; en leur faisant prendre de petites gorgées d'eau à intervalles rapprochés, on écarte le risque de vomissements. Lorsque le patient a de la peine à boire, même par petites gorgées, on ne devrait pas laisser se développer la période des vomissements. Le jeûne doit être coupé. »*

Vue (troubles de la vue)

N'ayant jamais constaté que des améliorations de la vue (comme de l'ouïe) nous laissons la parole au docteur Shelton qui en signale : *« Il y a quelques rares cas où la vision s'affaiblit. Carrington cite un cas qu'il considère comme « un développement curieux » et qui, d'après lui, pourrait ne plus jamais se reproduire. Le malade eut une vision double, juste avant la rupture du jeûne. Il y eut perception de deux images au lieu d'une seule. J'ai moi-même vu un tel phénomène se produire, dans un ou deux cas, à la fin d'un très long jeûne. Ce que l'on voit le plus souvent, bien que rarement toutefois, est plutôt un tel affaiblissement de la vision que le malade peut à peine voir. Il est forcé d'abandonner la lecture, et sa vue peut même devenir si faible qu'il devient impossible d'en juger par ce moyen. Ceci semble surtout être dû à une absence temporaire de coordination entre les deux yeux, dont les foyers ne convergent pas sur l'objet regardé. Le fait que faiblesse et trouble disparaissent bientôt après la reprise, et que la vue est meilleure qu'avant le jeûne, montre qu'il n'y a pas lésion des nerfs optiques ou de leur mécanisme. Après la rupture du jeûne, le malade put se passer de ses lunettes. Il y a encore le cas d'une femme qui portait des lunettes, mais qui voyait double (sans lunettes), avant le jeûne, et dont la vue redevint normale pendant le jeûne. Elle a pu se débarrasser de ses lunettes au seizième jour du jeûne et pu lire, coudre, enfiler des aiguilles, etc., sans lunettes. Elle ne reprit l'usage de ses lunettes que sept ans plus tard. »*

3. Conclusion symptomatique

Le jeûne peut permettre de guérir aussi de soi et donc de tous préjugés, y compris ceux qu'on pourrait avoir contre lui ; le docteur Shelton dénonce ainsi ces derniers :

« ...Il y a vraiment peu de signaux d'alarme qui surgissent durant le jeûne et ils sont extrêmement rares. Sans doute, dans tous les cas, sont-ils dus à une cause autre que le jeûne. En raison des préjugés courants contre le jeûne, et de l'opposition violente de la profession médicale contre son application, les praticiens qui employaient le jeûne hésitaient à le prolonger lorsqu'ils se trouvaient en présence de symptômes qu'ils considéraient comme étant des signes de danger. Si le malade venait à mourir, ils auraient été alors accusés de l'avoir fait mourir de faim et auraient été condamnés pour homicide.

Dix mille malades peuvent mourir après ingestion de médicaments toxiques, ou bien après ablation d'un ou de plusieurs organes, et personne n'est tenu pour responsable ; mais qu'un malade meure au cours d'un jeûne, l'autopsie sera ordonnée immédiatement pour établir les responsabilités du décès. Pendant longtemps, cela retarda tout progrès dans la connaissance du jeûne et empêcha de découvrir que ce que l'on pensait être des signaux d'alarme ne l'était pas bien souvent. »

4. Le masque arraché

La vertu est la ferme disposition de l'âme à accomplir le bien, le bien n'étant pas considéré comme l'effet d'une sensation qui nous paraît agréable, mais comme le résultat d'un acte apte à favoriser l'évolution, l'harmonie de tout ce qui nous entoure.

Lors d'un jeûne long créatif et spiritualisé, le meneur du jeûne se doit d'être aussi fin et avisé psychologue car il lui faudra assumer le choix des membres de son groupe et pressentir l'équilibre de leurs relations : il suffirait d'un mauvais choix et le jeûne de tous les patients risquerait d'être compromis.

Durant un jeûne long ne se produit pas seulement l'élimination des toxines du corps mais celle aussi des poisons de l'esprit.

Le jeûne canalise, chez l'individu, le meilleur ou le pire et ce que nous nommons « le masque arraché » est celui du jeûneur qui verra apparaître ses réelles potentialités dans leur présent d'évolution ou d'involution, son vrai visage ; Narcisse se contemple car il ne voit pas, mais que l'eau se trouble et sa face déformée et reformée ne lui masquera plus les mensonges des reflets.

Ainsi que dans toutes circonstances extrêmes (celles qu'imposent, par exemple, famines, exodes, guerres, tremblements de terre...), dans celles d'un jeûne long créatif et spiritualisé certains apparaissent meilleurs qu'ils ne pouvaient l'imaginer ou pires qu'ils ne pouvaient le croire.

Dans une communauté qui subit les affres de la soif, l'individu a trois manières d'aborder un verre d'eau :

a) partage équitable avec chacun,
b) assassinat pour s'en assurer la jouissance exclusive,
c) privation pour offrande à plus assoiffé que soi.

Dans un jeûne long créatif et spiritualisé l'une de ces trois manières d'être s'imposera à chaque individu.

N.B. : Nous avons vu, lors d'une reprise alimentaire, un patient, ayant assumé son jeûne avec assez de tenue, s'évertuer à monter ses compagnons de jeûne les uns contre les autres en imputant à chacun les manques qui lui venaient : égoïsme, jalousie, hypocrisie, versatilité, avarice, mesquinerie... Tous lui donnèrent fin de non-recevoir et il se retrouva dans la solitude qu'il venait d'inventer.

QUATRIEME PARTIE

reprise alimentaire des jeûnes longs

« Rafraîchis-nous avec des mets purs, avec la rosée, avec des aliments qu'on n'a pas tués, avec cette vie qui vient des champs, douce comme la piété et chaude comme une haleine. »

R. M. Rilke

CHAPITRE XII

Pratique

1. Après les jeûnes menés à terme

Si cette phrase de R.M. Rilke que nous avons mise en exergue sur la page précédente était notre loi diététique habituelle, il est certain que les jeûnes longs ne seraient plus pour notre organisme une nécessité vitale et demeureraient uniquement une discipline d'ascèse spirituelle. Mais, si peu d'entre nous en sont là, qu'à la reprise alimentaire d'un jeûne long ces souhaits du poète deviennent des conseils pratiques tout à fait judicieux.

Il faut en effet redonner au patient des nutriments qui continuent l'action éliminatrice et régénératrice provoquée par le jeûne, des nutriments de digestion et d'assimilation aisées, plus laxatifs que nutritifs.

Cellulose, lipides, protides, glucides sont des sources d'énergie qu'il ne faut aborder que peu à peu.

Les reprises alimentaires seront d'autant plus douces que les traitements préparatoires (jeûnes courts et moyens, pratique des non-mélanges, frugivorisme, crudivorisme, lavements...) et le jeûne lui-même auront été intelligemment accomplis.

La plupart du temps (que les jeûnes aient été cliniques ou spiritualisés) la reprise nous semble toujours s'échelonner sur des durées trop courtes : elle est généralement de sept jours, par exemple, pour un jeûne de vingt et un jours. Cette restriction vient le plus souvent d'empêchements matériels : il est exceptionnel qu'un patient, pour un jeûne préventif, dispose de plus de trente et un jours consécutifs et, comme le jeûne long le plus court et le plus efficace est de vingt et un jours, la soustraction de ces 2 nombres nous laisse dix jours dont il faut encore retrancher les deux ou trois jours de préparation qui s'imposent en arrivant sur les lieux du jeûne, souvent après un voyage long et fatigant.

Si le laps de temps dont on dispose n'est que d'un mois, il nous apparaît que la reprise alimentaire doit être au moins égale au jeûne et qu'il faut éviter de la ramener au tiers de ce temps de jeûne.

Dans ces données nous ne perdons pas de vue que si la durée du jeûne est délibérément choisie afin que le psychisme puisse faire savoir à tout l'organisme le temps d'élimination qui lui est imparti (voir le paragraphe « Importance du psychisme et durée de jeûne »), nous ne perdons pas de vue que, durant un jeûne long préventif non interrompu (quelle qu'en soit la durée) la reprise alimentaire est déterminée par le retour de la vraie faim.

La reprise alimentaire d'une durée double du temps du jeûne que nous préconisons est donc difficile à tenir dans sa pratique, même si l'on tient compte que le jeûneur peut être devenu suffisamment averti pour prolonger cette reprise après son départ : un jeûne de vingt et un jours nécessiterait une reprise de quarante-deux jours, soit un total de soixante-trois jours et si l'on tient compte de la préparation échelonnée elle-même sur trois à six mois (voir le paragraphe « Préparation à un jeûne long ») ; l'accomplissement parfait d'un jeûne comporte ferme volonté et douce patience, qualités qu'il peut faire acquérir parce que justement elles faisaient défaut !

Cet absolu paradoxal ayant été signalé, tenons-nous en pour lors au relatif des possibilités de chacun et sachons qu'une reprise alimentaire même trop courte ne doit pas nous écarter de la consommation d'un jeûne. Ce dernier laissera simplement un bien moins profond, moins durable, mais rien ne nous empêchera de recommencer.

Dans ces reprises courtes il n'est pas rare de voir le jeûneur recouvrer son poids initial en quelques jours (si ce poids, bien sûr, était idéal) et cette escalade est évidemment trop prompte. Quant aux personnes trop fortes, elles peuvent plus aisément, en ce cas, retomber dans leurs anciens travers et retrouver assez rapidement leur poids de départ bien loin, lui, d'être idéal !

Quoi qu'il en soit, les premiers temps de la reprise seront donc accomplis « avec cette vie qui vient des champs, douce comme la piété et chaude comme une haleine ».

Le premier repas sera composé d'un bol de jus de cuisson de légumes biologiques ou sauvages ; jus de cuisson qui n'aura jamais bouilli : les légumes mijotant dans une casserole émaillée sur un feu extrêmement bas seront souvent doucement remués avec une cuillère en bois (durée 3 h).

Les deux repas suivants seront composés d'un jus de cuisson semblable dont les éléments peuvent différer mais resteront toujours des légumes frais biologiques ou sauvages (laitue, plantains, bette, mâche, carotte — feuilles, racines et tiges —, pissenlits, lamiers, primprenelle, luzerne, ortie, etc...).

Ces repas seront au nombre de deux par jour ; horaires réguliers : 11 h ou midi, 17 ou 18 h.

Les quatrième, cinquième et sixième repas seront encore composés de ce jus de cuisson auquel on ajoutera alors les légumes eux-mêmes. Puis, entre ces repas, seront donnés, à très petites doses, des jus de fruits frais récemment pressés. Il serait bon de bénéficier de l'apport de fruits potagers ou sauvages venant d'être cueillis aux alentours des lieux mêmes du jeûne. Les fruits doux et les fruits acides sont les plus favorables.

Doses de départ : une demi-orange, un tiers de verre à moutarde de jus de raisin, par exemple.

Il est bien entendu que ces liquides et solides seront, les uns et les autres, longuement et soigneusement mastiqués.

On s'acheminera ensuite vers des légumes crus (feuilles et fleurs) et des fruits entiers non pressés, puis vers les aliments protéinés (fromages frais ou blancs, champignons, soja, levure...).

Viendront alors lentement et petitement les hydrates de carbone (céréales, miel, racines, légumineux...) et les lipides (huiles végétales, olives...), les fruits secs oléagineux (noisettes, amandes, noix...).

Durant ces reprises, certains patients « ont des envies », dont il vaut mieux ne pas tenir compte car elles sont plus souvent causées par des besoins psychiques issus de mauvaises habitudes anciennes que par des instincts retrouvés de justes nécessités.

Le transit intestinal reprend généralement après l'ingestion du premier repas. Si la constipation s'éternisait, il faudrait aviser et peut-être procéder à un léger lavement.

L'augmentation progressive des rations alimentaires et l'acheminement vers des nutriments plus nutritifs sont évidemment en fonction de la durée de la reprise : de rien à presque rien jusqu'au repas normal au dernier jour de la reprise. Et n'accédons à ce repas normal qu'après au moins un tiers du temps consacré au jeûne lui-même : *certains accidents de reprise trop rapide peuvent être mortels.*

N.B. : Durant une reprise alimentaire d'un jeune long créatif et spiritualisé les disciplines répertoriées à notre « emploi du temps » continuent d'être pratiquées.

Durant toutes reprises on évitera soigneusement les mauvais mélanges (voir notre tableau) *et les éléments morts ou toxiques (viandes, poissons, conserves, sucres, chocolats, aliments non biologiques...).*

2. Après les jeûnes curatifs ou les jeûnes rompus

Nous venons de vous donner les éléments essentiels des reprises alimentaires des jeûnes longs préventifs bien menés à terme, mais ces mêmes éléments comportent quelques variations lorsqu'ils succèdent à des jeûnes longs curatifs ou à des jeûnes longs préventifs interrompus. Dans ces deux cas on continuera de tenir compte, d'une manière générale, des règles précédemment énoncées en y apportant les changements que peut nécessiter l'état spécifique de chaque individu :

a) la maladie qu'il vient de subir peut comporter certaines carences ou difficultés auxquelles il peut être urgent de pallier par l'apport de certains éléments ;

b) le malaise qui causa la rupture peut être soit d'origine psychologique (intolérance au jeûne, absence de volonté, velléités...) ou physique (voir le paragraphe « répertoire symptomatologique »).

Dans ces 2 cas c'est au praticien d'agir, si possible avec la complicité du malade, avec le moins de rapidité et de brutalité concevables.

3. Changement de vie

Il n'est pas rare qu'un jeûne long créatif et spiritualisé change complètement les manières de voir, de penser, d'être et que le patient soit amené à transformer, peu à peu ou promptement, partiellement ou totalement, sa propre vie.

« Notre salut, le seul aujourd'hui, est le refuge que propose notre âme qui s'améliore. »

CINQUIEME PARTIE

annexes

La Prière du Médecin

Sauveur de tous, tu m'as appelé pour veiller sur la vie et la santé de tes créatures.

Puisse l'amour, en tout temps, me guider.

Que ni avarice, ni soif d'argent, de gloire ou de réputation ne faussent mon cœur, car les ennemis de la vérité et de l'amour pourraient aisément me tromper et me rendre oublieux de mon but : faire du bien à tes enfants.

Puissé-je ne jamais voir dans le patient autre chose qu'une créature qui souffre.

Donne-moi la force, le temps et l'occasion de corriger sans cesse ce que j'ai acquis et d'en élargir constamment le domaine. La connaissance est sans fin et je peux, aujourd'hui, découvrir mes erreurs d'hier et, demain, obtenir une clarté nouvelle sur ce dont je me crois fermement assuré.

Donne-moi la lumière. Eclaire-moi dans l'obscurité d'autrui, pour que, obligé de pénétrer dans le secret des corps et des âmes, je ne me trompe pas de route et ne blesse rien en passant.

Donne-moi l'amour, pour que, chargé de ma propre peine et sans refuge souvent pour moi-même, je trouve toujours en moi une douceur, un abri, une force pour le désespéré qui m'attend.

Donne-moi la grâce, pour qu'en mon plus mauvais moment, dans mon incertitude, ma faiblesse d'homme, mon trouble, je reste toujours assez sage, assez bon, assez pur, digne de la douleur sacrée dont la foi s'est donnée à moi.

Donne-moi la fidélité dans la miséricorde, pour que je n'oublie pas et n'abandonne jamais le moindre des misérables qui à moi se fient.

Donne-moi la force, ô mon Dieu, pour que le poids de tous ne vienne par trop m'accabler, pour que la détresse que je porte n'atteigne pas ma joie, pour que la blessure que je panse ne me fasse pas de mal.

(d'après Maïmonide et une prière de Marie-Noël)

APPENDICE

Quelques exemples de textes à dire, chanter, méditer ou commenter durant un jeûne long créatif et spiritualisé.

« Les amoureux fervents et les savants austères
Aiment également, dans leur mûre saison,
Les chats puissants et doux, orgueil de la maison,
Qui comme eux sont frileux et comme eux sédentaires.

Amis de la science et de la volupté,
Ils cherchent le silence et l'horreur des ténèbres ;
L'Erebe les eût pris pour ses courriers funèbres,
S'ils pouvaient au servage incliner leur fierté.

Ils prennent en songeant les nobles attitudes
Des grands sphynx allongés au fond des solitudes,
Qui semblent s'endormir dans un rêve sans fin ;

Leurs reins féconds sont pleins d'étincelles magiques,
Et des parcelles d'or, ainsi qu'un sable fin,
Etoilent vaguement leurs prunelles mystiques. »

Charles Baudelaire (*Les Chats*)

« Pour notre frère le soleil
Pour nos sœurs la lune et les étoiles
Pour notre frère le vent
    pour l'air les nuages
Pour notre sœur l'eau
    elle est si utile si humble si précieuse si pure
Pour notre frère le feu
    il est si jeune si vigoureux si fort
Pour notre sœur la terre
    riche de tant de fruits

Pour notre sœur la mort
    à qui nul homme vivant ne peut échapper
Louez bénissez remerciez mon Seigneur
Et servez-le
    avec beaucoup de simplicité. »

Saint François d'Assise (*Cantique du Soleil*)

« Le soleil que sa halte
Surnaturelle exalte
Aussitôt redescend
    Incandescent

Je sens comme aux vertèbres
S'éployer des ténèbres
Toutes dans un frisson
    A l'unisson

Et ma tête surgie
Solitaire vigie
Dans les vols triomphaux
    De cette faux

Comme rupture franche
Plutôt refoule ou tranche
Les anciens désaccords
    Avec le corps

Qu'elle de jeûnes ivre
S'opiniâtre à suivre
En quelque bond hagard
    Son pur regard

Là-haut où la froidure
Eternelle n'endure
Que vous le surpassiez
    Tous ô glaciers

Mais selon un baptême
Illuminée au même
Principe qui m'élut
    Penche un salut. »

Stéphane Mallarmé (*Cantique de Saint Jean*)

Ravi d'un transport d'amour
(Pauvre d'espoir point n'étais !)
Si haut, si haut je volai
Que j'atteignis ce que je chassais.

Pour qu'atteindre ainsi je puisse
Jusqu'à ce transport divin,
Tant voler il me fallut
Que me perdisse de vue.
Et pourtant en cette transe
Mon vol demeura trop-court.
Mais l'amour si haut vola
Que j'atteignis ce que je chassais.

Tant plus haut je m'élevais,
Tant plus ébloui j'étais,
Et la plus forte conquête
Dedans la nuit se faisait.
Mais l'amour me transportant
Yeux clos, je fis un saut noir,
Et si haut, si haut j'allai
Que j'atteignis ce que je chassais.

Tant plus, montant, je m'approchais
De ce sublime transport,
Tant plus bas je me trouvais,
Rendu et anéanti.
Je dis « Nul n'y atteindra » !
Et tant, tant je m'abaissai
Que si haut, si haut j'allai
Que j'atteignis ce que je chassais.

D'un seul vol j'en passai mille,
Oh ! Quelle étrange manière !
Car l'espérance du ciel
Autant obtient qu'elle espère.
j'espérai ce seul transport,
Et déçu ne fut l'espoir
Car si haut, si haut j'allai
Que j'atteignis ce que je chassais. »

Saint Jean de la Croix (1)

« J'entrai, mais point ne sus où j'entrais,
Et je restai sans savoir,
Transcendant toute science.

J'ignorai tout du lieu où j'entrais,
Mais lorsque je me vis là,
Sans connaître le lieu où j'étais
J'entendis de grandes choses.

---

1. *Les poèmes mystiques de Saint Jean de la Croix* (Desclée de Brouwer).

Point ne dirai ce que je sentis,
Car je demeurai sans rien savoir,
Transcendant toute science.

De la paix, de la bonté aussi,
C'était science parfaite,
Dans une profonde solitude —
Le droit chemin vu bien clair.
Pourtant c'était chose tant secrète,
Que je demeurai balbutiant,
Transcendant toute science.

J'en étais à ce point imprégné,
Absorbé, sorti de moi,
Que je demeurai dans tous mes sens
Dénué de tout sentir.
Tandis que l'esprit reçu en don
De pouvoir entendre sans entendre,
Transcendant toute science.

Tant plus haut je m'élevais ainsi,
Et tant moins je comprenais.
C'est là ce nuage ténébreux
Qui rend la nuit toute claire.
Or, pour ce, qui vient à le connaître
Demeure toujours sans rien savoir,
Transcendant toute science.

Celui qui pour de bon parvient là
Se voit défaillir à soi.
Tout ce qu'il connaissait autrefois
Lui paraît chose si basse.
Et tant s'accroît en lui la science
Qu'il demeure sans plus rien savoir,
Transcendant toute science.

Ce savoir issu du non-savoir
Recèle un si haut pouvoir
Que les sages et leurs arguments
Ne le peuvent jamais vaincre.
Car leur savoir ne saurait atteindre
A n'entendre pas en entendant,
Transcendant toute science.

Chose si hautement excellente
Est ce souverain savoir
Qu'il n'est ni faculté, ni science
Qui le saurait entreprendre.
Celui qui soi-même se vaincra
A l'aide d'un non-savoir savant
S'en ira toujours plus outre.

Et qui si vous le voulez ouïr,
Cette science suprême
Réside en un sublime sentir
De l'essence de Dieu même.
Et c'est bien l'œuvre de sa clémence
Que l'on demeure sans rien entendre
Transcendant toute science. »

Saint Jean de la Croix (2)

« Je viens de vous citer une parole qui est écrite dans l'Evangile et dont voici le sens : « Notre Seigneur Jésus-Christ monta à un petit poste et fut reçu par une personne vierge qui était une femme. »
Eh bien ! Apportez toute votre attention à cette parole. La personne par qui Jésus fut reçu ne pouvait qu'être vierge, c'est-à-dire une personne libre de toutes images étrangères, aussi disponible qu'avant sa naissance.
Mais on pourrait poser cette question : Comment l'homme qui est né et qui est parvenu à une vie raisonnable pourrait-il être aussi libre de toutes images qu'alors qu'il n'était pas encore ? Ne sait-il pas, en effet, tant de choses, et toutes ces choses sont des images ! Comment peut-il donc être encore disponible ?
Écoutez bien l'explication que je vais vous donner. Si j'étais entièrement raison, au point que toutes les images que l'humanité ait jamais reçues et qui sont en Dieu lui-même fussent entièrement spiritualisées en moi, et que j'en fusse assez totalement indépendant pour n'en considérer aucune en soi-même comme mon bien propre dans les actes, ni dans les omissions, ni dans le passé, ni dans l'avenir, mais que je fusse à l'instant présent libre et disponible pour l'amour de Dieu très cher et pour faire sans cesse sa volonté, vraiment, je serai « vierge » et aussi peu entravé par aucune image que si j'étais comme n'étant pas encore.
Je dis en outre : « que l'homme soit vierge, cela ne lui enlève absolument rien des œuvres qu'il ait jamais faites, il est devant elles virginal et libre, sans qu'aucune entrave le tienne éloigné de la vérité suprême, tout comme Jésus est disponible, virginal et libre en lui-même. Les maîtres disent que la similitude seule justifie pleinement l'union ; de même faut-il que l'homme soit vierge pour concevoir Jésus virginal.
Faites bien attention et notez ceci : si l'homme restait toujours vierge, nul fruit ne viendrait de lui. Pour devenir fécond, il faut qu'il soit femme. Femme ! C'est le mot le plus noble qu'on puisse adresser à l'âme, et il est bien plus noble que vierge. Que l'homme conçoive Dieu en lui, c'est bien, et dans cette prédisposition il est vierge. Mais que Dieu devienne fécond en lui, c'est mieux ; car devenir fécond par le don reçu, c'est être reconnaissant pour ce don. Et l'esprit devient alors femme dans une reconnaissance qui engendre à nouveau et dans laquelle il fait naître à nouveau dans le cœur paternel de Dieu... »

Maître Eckhart (Sermon nº 2) (3)

---

2. *Les poèmes mystiques de Saint Jean de la Croix* (Desclée de Brouwer).
3. *Traités et sermons* (Aubier, Editions Montaigne, Paris).

« Herbe tenue, herbe ténue...
Herbe !
Je perds ta trace

Aux sentiers sur la mer franchie.
Oui !
Tous les chemins

Passeront devant la maison.
Vrai.
N'y logions pas,

N'y logions plus. Nous revoici.
Mère,
Brûlons la porte

Que s'ouvrent en grand les fenêtres !
L'air,
Et nos mains viennent

Très lentement vers notre bouche.
Herbe !
Semée, enfouie...

Tout le long du sillon la forêt est si proche.
La hâte prend patience au profond noir de terre,
A l'heure où chaque fleur pour la dernière fois
Aujourd'hui est tournée vers la fin du soleil.

Que l'on me fasse une litière
De l'herbe tiède encore.
Je vais plonger dans le ruisseau...
Si je ne reviens... Oh,

Plante une rose
Blanche,
Cueille et lance au trouble de l'eau.

Si ne reviens,
Rose
A bras tendu, c'est que serai,

Ténu, tenu
Là
Par tant d'eau au-dessus de moi...

Tant d'eau et tant
D'eau...
Que tu ne pourras divorcer

De Moi, mon fils.
Seul,
Invite-moi à partager

Ton lit, ta table.
Et
Si plus rien enfin ne possèdes,

Ne ferai aucun bruit,
ou bien moins de bruit que le chat.
Oui. Et même le vent
Tu ne l'entendras pas vraiment,

Ni le feu, ni ta voix, et je te parlerai
Et tu me répondras. Si tu fais revenir
Ton regard dans tes yeux, écouterons le chant
De qui s'aveugle afin de lire Mon visage

Avec tes doigts.
Nuit
Qui devient notre,

Proscrit, de retour, invité,
A
Chaque fruit, chaque,

Quelques entailles de caresses
Vivent
Par nos mains.

A chaque rayon de lumière,
Nés...
Nous sommes nés.

Herbe tenue, herbe ténue...
Herbe ! »

Alain Saury (*Verbe*) (4)

« Je ne t'ai donné ni visage, ni place qui te soit propre, ni aucun don qui te soit particulier, ô homme, afin que ton visage, ta place et tes dons, tu les veuilles, les conquières et les possèdes par toi-même. Nature enferme d'autres espèces en des lois établies par Moi. Mais toi, que ne limite aucune borne, par ton propre arbitre, entre les mains duquel je t'ai placé, tu te définis toi-même. Je t'ai placé au milieu du monde, afin que tu puisses mieux contempler ce que contient le monde. Je ne t'ai fait ni céleste, ni terrestre, mortel ou immortel, afin que de toi-même, librement, à la façon d'un bon peintre ou d'un sculpteur habile, tu achèves ta propre forme. »

Pic de la Mirandole

« Cherchez premièrement le royaume et sa justice et tout vous sera donné par surcroît. »

Saint Matthieu

---

4. *Le miel et la cire* (G.E.P., Paris).

Corollaires

Le succès remporté par cet ouvrage, ses incessantes rééditions, l'abondant courrier et les rencontres positives qui en découlèrent, nous mettent aujourd'hui dans la douce obligation d'y ajouter d'autres réflexions.

Il est tout d'abord intéressant de noter que le désir d'un jeûne long créatif et spiritualisé s'empare de toutes les couches sociales, sans distinction d'âge (de 16 à 75 ans), ni bien sûr de sexe ; nous eûmes, entre autres, à guider en ce voyage immobile : étudiant ou étudiante en médecine, médecin, dentiste, paysanne, capitaine de pompier, épicière, comédienne, danseur, représentant de commerce, ouvrier métallurgiste, professeur de yoga, infirmière, journaliste, ethnologue, employé S.N.C.F., P.-D.G., prêtre, etc.

Et il nous fut évident qu'un « ras le bol » se dessine dans une société matérialiste où la religion est remplacée par la politique avec la même faillite. *« Dieu est mort »* disait Nietszche... Mais ce n'est pas l'Eternel qui peut mourir mais le paternalisme : Dieu n'est pas notre père seulement ; il est tout d'abord notre fils ; préservons-le comme l'enfant qui joue ; il nous faut devenir adulte, responsable de tout.

Lorsque l'homme n'éprouve plus d'impulsion lui permettant de croître véritablement en dehors de lui-même en remerciant la vie de sa précarité et l'éternité du goût qu'elle lui donne de l'absolu, il ne peut vivre l'instant, thésaurise et appartient au royaume de la mort dont les bienfaits sont incompatibles avec ceux de la vie, en perpétuel mouvement.

Lorsque l'homme abreuve sa soif d'infini dans les plaisirs, il est certain que ses jouissances le laissent insatisfait car elles ne sont que contacts éphémères avec l'éternité qui le repoussent à chaque instant, de distractions en distractions, et il ne trouve que des limites dans le limité, du fini à sa soif d'infini. Opter pour la solitude, la souffrance — dans un premier temps — plutôt que pour l'anesthésie, n'est pas une mince affaire mais il est doux de constater que seule l'ascèse, pour certains, apparaît de plus en plus joyeuse : un quartier d'orange a le même goût que l'orange entière, parole qui nous a semblé sage et que pourtant nous réfutons : le premier quartier d'orange a un goût que n'auront jamais les trois autres : la sasiété est insipide.

Avant d'aborder nos corollaires, voilà une simple information : après la parution de la première édition de cet ouvrage, il y a trois ans maintenant, nous eûmes le plaisir de rencontrer à son propos un médecin suisse naturopathe et poète qui nous dit avoir assisté à d'excellentes reprises alimentaires de jeûnes longs précédées par l'absorption pour le jeûneur de sa propre urine : l'élimination et la purification en seraient renforcées.

Nous n'eûmes encore jamais nous-mêmes d'expériences à relater à ce sujet mais avons souvenir d'ébats amoureux très doux prolongés par l'absorption réciproque de l'urine, résultant elle-même de l'ingestion d'un excellent champagne biologique devenu cette fois tiède mais toujours aussi excellent et mousseux.

Il serait peut-être temps aussi de se guérir de ce préjugé que n'ont pas certains paysans qui utilisent encore leur propre urine pour désinfecter leurs blessures.

Après cette parenthèse, nos corollaires :

1. Principaux motifs incitant aux jeûnes longs créatifs et spiritualisés

On a l'habitude de subdiviser le péché capital en sept : avarice, colère, envie, gourmandise, luxure, orgueil, paresse... Dieu merci, cela est plus simple : le péché, le seul, consiste uniquement à n'être pas entièrement dans l'acte que l'on commet, à se réserver une part pour soi. Le père Stanis Richard, qui a baptisé ma fille Bianca à l'île de Sein, considérait lui aussi le péché comme unique et il le vitupérait souvent au cours de ses prêches mi-latin, mi-breton, mi-français : la mesquinerie.

Cette courte introduction pour vous signaler que si, nous aussi, nous cataloguons en plusieurs paragraphes les motifs du désir de jeûner, il n'en est qu'un : **la volonté de vivre enfin la réalité.** Néanmoins on jeûne pour :

— S'alléger ou effectuer son bilan, apprendre à se connaître « en vérité », pouvoir prendre une décision grave en toute lucidité (mariage, divorce, changement de vie total...), retrouver le sens des nuances, se restituer ses sens perturbés.

— Se débarrasser d'ennuis de santé bénins ou graves.

— Se désintoxiquer de drogues (médicaments, alcools, fumées...).

— Se libérer de son milieu.

— Se reposer tout simplement.

— Trouver sa vocation (son activité où tout l'être participe : n'est plus, justement, en état de péché).

— Se libérer d'un dégoût des rapports sexuels jusque-là non amoureux.

— Concevoir un enfant dans la pureté (jeûne en couple).

2. Jeûner sans ses proches ?

Ce corollaire est issu directement du précédent : si l'on désire laisser venir cet enfant « qui veut naître de nous » en purifiant le temple de nos corps, il est tout à fait indiqué d'accomplir un jeûne long ensemble, main dans la main (à ce propos, un ouvrage sur ce thème, dans deux ans, va paraître dans notre collection « Ecologie et survie », chez le même éditeur) ; par contre il est déconseillé de jeûner à deux hors de ce propos car l'on croit que l'œil du proche est fixé sur soi d'une manière entérinée par les souvenirs, faussée, et il peut empêcher de craquer comme il convient ; la parenthèse de solitude qu'est le jeûne (s'il est inhabituel) serait mal ouverte.

3. Le barrage des proches

Il vient souvent un fort barrage des proches à propos du jeûne long : nous vivons pour la plupart dans la possession et on peut sentir (inconsciemment) que cette libération que va apporter le jeûne au patient fera qu'il ne sera plus à nous. Tant mieux !

4. Reprise alimentaire saisonnière

Les fruits ou légumes de saison (de préférence sauvages : on sait où l'on va) conviennent tout parfaitement à la reprise. Nous vîmes de beaux appétits rassasiés, à dose homéopathique, aux asperges sauvages en plein mois de mai.

5. La source du chant et le chant de la source

Le chant, première discipline matinale, et le bain dans la source d'eau vive, dernière discipline matinale, sont très nourrissants. Entre ces deux disciplines, la définition des mots et l'écoute de textes sacrés ont bien leur place.

6. Remodeler son corps

On peut, par les exercices et l'ascèce, remodeler son corps, et par la pensée restructurer sa forme, changer sa morphologie.

Cela n'est pas seulement réservé à l'enfant dans le ventre de sa mère. Nous sommes aussi notre propre enfant. Nous vîmes un jour naître un enfant qui avait toute ressemblance avec un proche du père, dont la mère était follement amoureuse ; ressemblance telle, que tout le monde crut l'enfant adultérin, alors qu'il n'en était rien.

7. La reprise alimentaire gastronomique

Beaucoup de jeûneurs s'amusent à dire qu'ils sont venus uniquement jeûner à cause de la délicieuse reprise alimentaire. Il est très important que la nourriture soit alors très excellente, poétique et toujours sur la base de l'aliment : ce qui compte n'est pas la matière mais la vie qu'elle porte. D'ailleurs, à la suite de nombreuses demandes, nous allons être tenus de consigner nos recettes dans un ouvrage qui va s'intituler : *Les Jardins de ton palais.*

8. Atlas ou les meneurs de jeûne

Il arrive quelquefois que les jeûneurs supportent difficilement l'autorité qu'ils ont conférée aux meneurs de jeûne ; s'ils ne se raisonnent pas cela peut aller jusqu'à la haine : ils préfèrent croire qu'on les affame ; il faut là beaucoup de sens de l'humour, de part et d'autre.

Les insomnies qu'occasionnent souvent les jeûnes longs sont diversement supportées : quatre heures d'exercices quotidiens certes, et la source ! Mais que faire des dix-huit heures restantes ? Rester face à soi-même en fuyant toute possibilité de fuite : on est venu aussi pour cela.

Lorsque le jeûne long est bien engagé, le jeûneur n'a plus du tout faim : il faut souvent même l'obliger à ne pas trop restreindre sa reprise alimentaire (dans le temps qu'il s'est imparti) afin qu'il reparte très vigoureux. Mais ce qu'on éprouve souvent « par ennui » (de *in odio :* se prendre en haine), c'est la faim d'avoir faim. Là aussi l'humour est d'un bon secours.

9. Ce voyage immobile

Oui, c'est véritablement un voyage intérieur où sont innombrables les abîmes, les récifs, les tempêtes, les soleils, les jungles, et le seul danger est de renoncer au danger... qui ne vient jamais que de soi-même ; mieux vaut faire un jeûne de grabataire que de renoncer totalement. L'euphorie de quelques moments fait paraître plus dure la dépression qui succède : on ne sort pas aisément de ce monde duel parce que nous avons tout séparé ; il y a le blanc, le noir ; le haut, le bas ; le long, le large ; le beau, le laid ; le juste, l'injuste ; le sommeil, la veille ; la pesanteur, la grâce... et pourtant s'assumer c'est encore avoir le courage de reconnaître que l'on ne l'a plus et recommencer même sans lui... indéfiniment.

L'essentiel nous sera toujours donné de surcroît.

Trouver l'ordre qui nous est propre pour notre liberté, l'obéissance à Dieu entendu : « *Parere Deo, libertas.* »

Bibliographie

Saint Augustin : *Les Confessions* (Garnier, Paris).
Docteur Bach E. : *La Guérison par les fleurs* (Courrier du Livre, Paris).
Barbarin G. : *Le Scandale du Pain* (Courrier du Livre).
Barbarin G. : *Les Clefs de la santé* (Astra, Paris).
Barbarin G. : *Je et Moi* (Astra, Paris).
Baron H. (traduction de) : *La Vie impersonnelle* (Astra).
Baudelaire C. : *Les Fleurs du mal* (La Pléïade).
Docteur Bertholet E. : *Le retour à la santé par le jeûne* (Ed. Génillard, Lausanne).
Broglie-M. L. de : *Continu et discontinu en physique moderne.*
Docteur Carrel A. : *Réflexions sur la conduite de la vie* (Plon).
Docteur Carrel A. : *L'Homme, cet Inconnu* (Plon).
Cassette G. : *La Santé* (Astra).
Deunov P. : *L'Amour Universel* (Courrier du Livre).
Dextreit R. et J. :*Où Trouver ?* (Vivre en Harmonie).
Maître Eckhart : *Traités et Sermons* (Aubier).
Docteur Ehret A. : *Guérison par le jeûne* (Maloine).
Frossard A. : *Le Sel de la Terre* (A. Fayard).
Docteur Gaehlinger H. : *Luttez contre les fermentations digestives* (Ed. J. Oliven).
Gandhi : *Tous les Hommes sont Frères* (Gallimard : « Idées »).
Guardini R. : *Initiation à la prière* (Alsatia).
Garnier M. et Delamare V. : *Dictionnaire des termes techniques de médecine* (Maloine).
Geffroy M. R. : *Le Jeûne, moyen de purification totale* (Ed. CEVIC).
Docteur Hanish : *Recettes culinaires, harmonie fonctionnelle et mentale par alimentation rationnelle* (Ed. Mazdéennes).
Docteur Hanish : *Renaissance individuelle* (Ed. Mazdéennes).
Hippocrate : *Œuvres,*
Saint Jean de la Croix : *Œuvres* (Le Seuil).
Saint Jean de la Croix : *Poèmes mystiques* (Desclée de Brouwer).
Jaspers Karl : *Petite introduction à la philosophie* (Ed. 10/18).
Mallarmé S. : *Œuvres poétiques* (Gallimard).
Saint Matthieu, Saint Marc, Saint Luc, Saint Jean : *Les Evangiles.*
Merton T. : *La Montée vers la lumière* (Albin Michel).

Moine M. : *Guide de la radiesthésie* (Stock).
Le Nuage d'inconnaissance (Le Seuil).
Docteur Parvus : *L'alchimie de l'Alimentation* (Ed. Trait d'Union).
Passebecq A. : *Votre santé par la diététique et l'alimentation saine* (Editions Dangles).
Saint Paul : *Les Epîtres.*
Petite philocalie de la prière et du cœur (Le Seuil).
Perrot Etienne : *La Voie de la transformation* (Librairie de Médicis).
Pic de la Mirandole : *De la Dignité de l'Homme.*
Docteur Picard H. : *Utilisation thérapeutique des oligo-éléments* (Maloine).
Platon : *Dialogues* (La Pléïade).
Salètes J. M. : *Ouvrage à écrire* (Ed. Les Rives).
Saury A. : *Les Mains Vertes* (Courrier du Livre).
Saury A. : *Se nourrir, se guérir aux plantes sauvages* (Tchou).
Saury A. : *Le Miel et la Cire* (G.E.P.).
Docteur Shelton H. M. : *Le Jeûne* (Courrier du Livre).
Simoneton A. : *Radiations des aliments et santé* (Courrier du Livre).
Suso Henri : *Œuvres complètes* (Le Seuil).
Docteur Székéli E. (traduction de) : *Evangile de la Paix de Jésus-Christ par son disciple Jean* (Ed. Génillard, Lausanne).
Tagore Rabindranâth : *Sâdhanâ* (Albin Michel).
Thibon G. : *Notre Regard qui manque à la Lumière* (Ed. Amiot-Dumont).
Docteur Tomatis A. : *La Libération d'Œdipe* (E.S.F.).
Vivekananda : *Les Yogas pratiques* (Albin Michel).

Table des matières

La paix de l'âme (Docteur Bach) 11
Préface (Docteur Jacques Kalmar) 13
Introduction 19
1. Deux dialogues de sourds 19
2. Sectarisme et scepticisme 19
3. Carences, pléthores et médecine officielle 20
4. La diététique selon Hippocrate 21
5. Substance et vitalité 21
6. Nourritures subtiles 22

Première partie : **DIETETIQUE, SAGESSE ET SPIRITUALITE**

Chap. I : **Préambule diététique** 25
1. Les protides ; végétarisme et complicité planétaire 25
2. Les glucides ; dangers des aliments transformés 26
3. Les lipides ; dangers des graisses animales ou cuites 26
4. Les vitamines ; dangers des vitamines de synthèse 27
5. Les oligo-éléments et les sels minéraux 27
6. L'eau ; dangers du thé, café, chocolat 28
7. La chlorophylle 28
8. Absorption et assimilation 29
9. Quelles sont nos nécessités ? 29
10. Courants telluriques et cosmiques ; pollutions citadines 30
11. La mastication selon Fletcher 31
12. Evangile diététique selon Jésus 33
13. Viandes et poissons 34
14. La longévité 35

Chap. II : **Entretien avec le docteur Alfred Tomatis** 37
1. Organisme et compatibilité 37
2. Radiations, harmonie et vie 37
3. Appétit et angoisse 38
4. L'intelligence du corps 39
5. La libération nutritionnelle 39
6. La discrimination alimentaire 41
7. Le lavement intestinal 41

Chap. III : **Notions essentielles de diététique** 43
1. Le vrai pain 43
2. Le blé germé 45
3. Chasse, élevage en batterie, vivisection 46
4. L'excès du matérialisme 46
5. Les ondes 47
6. Les ondes visibles et invisibles 49
7. Classement des aliments selon leur force radio-vitale 50
8. Nos sources radio-vitales 51
9. Complémentarité du couple 52
10. L'amour 53
11. Cueillette et cuisine 55
12. Soleil et vie 55
13. Matériaux nobles et cuisson 55
14. Les fermentations 57
15. Bases et acides 57
16. Tendances et base 58
17. L'élimination 58
18. Modes d'alimentation et modes de médecine 59
19. Végétaux cuits nocifs 60
20. Tableau des fruits, selon leur compatibilité digestive 60
21. Tableau des autres aliments, selon leur compatibilité digestive 61
22. Laissons la grâce à notre foie 62
23. Sagesse d'un empereur de Chine 63
24. A propos de Gandhi 63

Chap. IV : **Quelques extraits de textes contemporains** 65
1. Inde et sens du caché, par Vivekananda 65
2. Ascétisme et jeûne, par Thomas Merton 68
3. Harmonies magnétiques et activité de l'esprit, par le docteur Parvus 68
4. Nutrition, création et vertu, par le docteur Alexis Carrel 71
5. Un extrait du « Sermon sur la Montagne », par saint Matthieu 72

Deuxième partie : **LES JEUNES**

Chap. V : **Indications générales** 75
1. Définition 75
2. Court aperçu historique 75
   Jeûne = santé - Instinct et jeûne - Excès chimiques et retour aux sources - Jeûne et religion.
3. Rares contre-indications pour les jeûnes longs 78
   Se soigner ou guérir ? - La peur du jeûne - Maladies délicates et paliers vers le jeûne.
4. Toxicomanies et jeûnes longs 80
   Arrêt brutal ou sevrage ? - Reprise alimentaire.
5. Jeûne, inanition et famines 81
   Mort, étiollement - Vie, épanouissement.

6. Hibernation et estivation 83
7. Les stylites 84
8. Les animaux souffrants et le jeûne 85
9. Le jeûne, l'enfant et le vieillard 85
Bébés et jeûne - Suralimentation meurtrière - Croissance et régénération.
10. La femme enceinte et le jeûne 87
11. Le futur père et le jeûne 87
12. Les jeûnes idéologiques 88
13. Les jeûnes préventifs 89
14. Les jeûnes curatifs 90
Jeûne et maladies aiguës - Maladies chroniques.
15. Le lavement intestinal 92
Autolyse et recharge magnétique - Description d'un lavement profond - Conseils pratiques.
16. L'eau pendant les jeûnes 95
17. Jeûne et hygiène corporelle 96
18. Jeûne et ensoleillement 97
19. Les quatre manières d'aborder un jeûne 97
20. Influence du psychisme et durée de jeûne 98

Chap. VI : **Les jeûnes courts** 99
1. Sommeil profond ou léger ? 99
2. Un emploi du temps monastique 100
3. Autonomie des jeûnes courts 100
4. Le jeûne de 15 heures 101
5. Le jeûne de 36 heures 101
6. Le jeûne humide de 3 jours 102
7. Le jeûne sec de 3 jours avec reprise alimentaire à l'eau distillée 102
8. Conseils pratiques 104

Chap. VII : **Les jeûnes moyens** 105
1. Les jeûnes curatifs de 4 à 10 jours 105
2. Les jeûnes de 7 à 10 jours 105
3. Jeûne moyen en milieu urbain 106

Chap. VIII : **Autres préparations aux jeûnes longs** 107
1. Le bain de siège froid matinal 107
2. Les fruits frais ou secs 108
3. L'argile par voie buccale 108
4. L'huile d'olive 109
5. Le lavement intestinal 109
6. Les sucs de légumes 109
7. Les oligo-éléments 110
8. L'eau distillée 110
9. Les huiles essentielles 111
10. Les remèdes homéopathiques 111

11. Le thym sauvage et le serpolet 112
12. Le chant et le yoga 112
13. Les non-mélanges 112
14. Le crudivorisme 112
15. Le chant grégorien 113
16. Le bilan 114

Chap. IX : **Les jeûnes longs** 115
1. La durée des jeûnes longs 115
2. Exemple d'un jeûne long 116
Préparation - Résultats obtenus - Feuille de cure durant un jeûne de 21 jours - Réflexions.
3. Jeûnes cliniques et jeûnes créatifs et spiritualisés 122

Troisième partie : **LES JEUNES LONGS CREATIFS ET SPIRITUALISES**

Chap. X : **Pratique** 127
1. Préambule 127
2. Moments et lieux souhaitables 127
3. L'emploi du temps 129
4. Définition des diverses disciplines de l'emploi du temps 130
Le lever - La prise de température, pouls et tension ; pesée - Les ablutions - Les exercices de respiration profonde - Les vocalises et le chant - Audition de chant grégorien, de textes sacrés ou de poèmes - Conversation - Exercices de définition des mots - Mouvements de culture physique - Exposition solaire des parties sexuelles - Quartier libre ou repos - Promenade botanique - Baignade à la source - Retour avec méthode du parcours naturel - Activités ménagères, artistiques et artisanales - Lecture ou prière - Coucher.
5. Pour faire taire quelques inquiétudes 138

Chap. XI : **Symptomatologie des jeûnes longs et de leur reprise alimentaire** 141
1. Généralités 141
2. Petit répertoire symptomatologique 142
Acétone - Agressivité - Bile - Blennorragie - Boulimie - Catarrhes - Constipation - Délectation morose - Délire - Diarrhées - Emotivité - Etourdissements - Euphorie - Evanouissement - Faiblesse - Faim - Frilosité - Gaz - Hypocalcémie - Insomnie - Langue - Lucidité - Mysticisme - Nausées - Névralgies - Peau - Poids - Pouls - Reins - Température - Tension artérielle ou veineuse - Tétanie - Urines - Vomissements - Vue.
3. Conclusion symptomatique 153
4. Le masque arraché 153

Quatrième partie : **REPRISE ALIMENTAIRE DES JEUNES LONGS**

Chap. XII : **Pratique** 157
1. Après les jeûnes menés à terme 157
2. Après les jeûnes curatifs ou les jeûnes rompus 160
3. Changement de vie 160

Cinquième partie : **ANNEXES**

La prière du médecin 163
Quelques exemples de textes à dire, chanter, méditer ou commenter durant un jeûne long créatif et spiritualisé 165
Corollaires 172
Bibliographie 177
Table des matières 179

Achevé d'imprimer en France par PRÉSENCE GRAPHIQUE
2, rue de la Pinsonnière - 37260 MONTS
N° d'imprimeur : 120933812

Dépôt légal : janvier 2010